SYLVIE LOUIS

# Le journal d'Alice

## flocons de neige

## et battements de cœur

DOMINIQUE ET COMPAGNIE

lejournaldalice.com

## Vendredi 24 décembre

Comme il tombait quelques gouttes, on s'est dépêchés de caser nos bagages dans la fourgonnette. Nos voisins sortaient de chez eux. Ils sont venus nous trouver.

– Bonjour Marc, bonjour Astrid et les filles. Vous partez ?

– Salut Pierre et Michael, a répondu papa. Oui, nous allons passer Noël chez mes parents, en Montérégie. Nous serons de retour mardi. Et vous, que faites-vous pour les fêtes ?

Michael a expliqué :

– Pierre est en congé (il enseigne à l'université) mais moi, je travaille jusqu'au 29 décembre. Demain, nous recevons ma famille à dîner. Et pour le réveillon du Nouvel An, nous organisons une fête entre amis. Vous êtes cordialement invités, d'ailleurs.

– Cool ! s'est écriée Caroline.

– C'est peut-être une soirée entre adultes, a dit maman.

– Pas du tout, a répondu Michael. Il y aura quatre autres familles avec leurs enfants. Et même un jeune de l'âge d'Alice. La soirée débutera à 18 h avec l'apéro suivi d'une bonne bouffe.

Sautillant devant nos parents, Caro a insisté :

– Allez, dites oui !!!

Ma mère s'est tournée vers nos voisins puis vers mon père :

– Comme c'est gentil ! Ça te convient, chéri ?

– Et comment! a lancé poupou qui, comme nous tous, apprécie beaucoup nos voisins. Merci pour cette belle invitation.

Maman a proposé d'apporter un plat.

– Ce n'est pas nécessaire, ma chère Astrid, lui a répondu Michael. Ce soir-là, c'est nous qui régalons nos hôtes. Laisse-toi gâter!

Papa a claqué la porte du coffre, maman a attaché Zoé dans son siège de bébé et on a grimpé à bord de notre fourgonnette de Noël (hi, hi! je dis ça parce qu'elle est rouge). Direction Covey Hill!

Sur le pont Champlain, on s'est retrouvés dans un embouteillage. Papa en a profité pour demander à maman ce que mamie Juliette avait prévu pour les fêtes.

– Figure-toi que je n'en sais rien, a répondu moumou. À part pour ce soir. La soirée du 24 décembre, ma mère la passe d'habitude avec Maude, Lulu et Quentin. Enfin, quand mes neveux sont chez leur mère durant la semaine de Noël. Dimanche dernier, j'ai essayé de rejoindre ma petite maman, mais sans succès. Et ces derniers jours, je n'y ai même pas songé, tellement j'étais débordée! Bref, ça fait deux semaines que je ne lui ai pas parlé. La pauvre, elle doit se sentir abandonnée…

Papa a déclaré :

– À mon avis, Juliette a dû elle aussi être bien occupée avant les congés.

*Une entrée au tofu pour le réveillon? Non merci! Ouf, on l'a échappé belle!*

3

– T'en fais pas, moumou, ai-je dit à mon tour. On leur souhaitera à tous un joyeux Noël par Skype, cet après-midi. Si on appelle vers 15 h, il sera 21 h en Belgique. On tombera en pleines festivités !

Le fin crachin s'était transformé en pluie diluvienne. Les essuie-glaces battaient la mesure comme deux métronomes. Papa a soupiré :
– S'il faisait cinq degrés de moins, toute cette pluie serait tombée en neige.
Maman a renchéri :
– J'ai beau aimer la pluie, je t'avoue, chéri, que moi aussi je préfère un Noël blanc à un Noël gris. Mais on va devoir faire avec.
Pour mettre de l'ambiance, Miss Positive s'est mise à chanter :
Quand la neige recouvre la verte Finlande
Et que les rennes traversent la lande
Le vent dans la nuit
Au troupeau parle encore de lui
Papa, Caro et moi, on s'est joints à elle pour le refrain :
On l'appelait Nez Rouge
Ah comme il était mignon
Le p'tit renne au nez rouge
Rouge comme un lumignon…

Après *Le petit renne au nez rouge,* Caro a entonné *Jingle Bells.*
– Tu chantes en anglais ? ! ai-je constaté, impressionnée.

– Bien sûr ! C'est madame Fattal qui nous a appris ce chant l'an dernier. Elle ne l'a pas fait avec vous ?

Il me semblait que oui, en 3e ou en 4e année… Mais, comme tout ce que la prof d'anglais a essayé de nous inculquer, mon cerveau l'a instantanément effacé. Madame Fattal… Grrrrrrrrrr… Je REFUSE, cher journal, de penser à Crucru durant les vacances. Déjà qu'elle sera de retour de son congé de maladie en janvier…

La chorale de la famille Aubry a poursuivi son programme de Noël improvisé avec *Vive le vent* puis *Les anges dans nos campagnes*. Là, ça a commencé à dégénérer… Caroline s'est mise à chanter n'importe quoi et on a tous rigolé. Entre-temps, la circulation était redevenue fluide. Une fois à Hemmingford, lorsqu'on a tourné à droite sur le chemin Covey Hill, je me suis soudain sentie en vacances. À travers les vitres dégoulinantes de pluie, je voyais défiler les vergers dénudés. Bercée par le martèlement de la pluie, j'ai fermé les yeux.

Moins d'une demi-heure plus tard, on a aperçu le sapin illuminé de blanc, à gauche de la demeure de mes grands-parents. On aurait dit un phare qu'ils auraient allumé dans la tempête pour nous guider à bon port. Dès que mon père a coupé le moteur, Caro et moi, on a détaché nos ceintures et, suivies par Cannelle, on a bondi hors de la fourgonnette. On s'est engouffrées toutes les trois à l'intérieur de la maison. Grand-maman nous a accueillies à bras ouverts.

– Mes petites-filles chéries ! s'est écrié grand-papa en accourant dans la cuisine décorée avec des bougies et des pommes de pin.

Des odeurs alléchantes ont réveillé mon appétit (il faut dire qu'il était midi). Des tourtières et des tartes aux pacanes refroidissaient sur le comptoir. Miam !!!

– Et Félix et Olivier, ils ne sont pas encore là ? a demandé Caroline.

Grand-papa lui a répondu :

– Ton oncle Étienne a appelé il y a une dizaine de minutes. Ils font une halte à Lévis pour le dîner. Ils devraient donc être ici en milieu d'après-midi.

– Et Alex ? s'est informé papa.

– Il arrive en autobus, lui. J'irai le chercher à 17 h.

Après le dîner (soupe et sandwiches, car le festin, c'est ce soir !), on s'est rassemblés devant l'écran de l'ordi pour parler à notre famille belge. Mais la sonnerie a résonné dans le vide et personne n'a répondu, ni chez Maude, ni chez mamie Juliette.

– Bizarre, a dit maman. Si ma mère était partie pour les fêtes, elle m'aurait prévenue…

Papa a hasardé une explication :

– Elle a peut-être eu une invitation de dernière minute.

– On réessayera plus tard, maman, a conclu Caroline. De toute façon, Noël, c'est pas aujourd'hui mais demain.

Tandis que grand-papa, papa, ma sœur et moi, on faisait la vaisselle, maman est allée mettre Zoé dans le lit à barreaux de la chambre bleue. Ensuite, les hommes se sont esquivés à leur tour pour une sieste.

– Tu ne veux pas aller te reposer, toi aussi, Astrid ? a demandé grand-maman à sa belle-fille.

– Non merci, Francine. J'aimerais te donner un coup de main pour le repas de ce soir.

– Il ne me reste que la bûche à préparer et…

– Je peux t'aider, grand-maman ? l'a interrompue Caroline.

– Avec plaisir, ma belle.

Caro a généreusement tartiné de glaçage au chocolat un grand rectangle de gâteau plat. Ensuite, elle a nettoyé le bol de glaçage avec son index qu'elle a léché avec gourmandise. *La chanceuse* ! Sous la supervision de grand-maman, elle a délicatement roulé la bûche puis elles ont entrepris de la décorer ensemble. Assise à table, maman s'était plongée dans les pages d'un magazine plein de recettes du temps des fêtes. Quant à moi, cher journal, en attendant que le reste de la famille arrive et que la fête commence, j'en avais profité pour consigner le début de la journée dans mon cahier rouge.

16 h 12. La pluie avait cessé quand grand-papa est réapparu. Quelques minutes plus tard, mon père est descendu à son tour avec Zoé dans les bras. Après avoir allumé une belle flambée dans la cheminée du salon, les hommes sont partis chercher oncle Alex à Ormstown. Moi, je suis allée me changer afin d'être tout élégante pour ce soir. Je sortais de la salle de bain lorsqu'il m'a semblé entendre un bruit

de moteur. Me précipitant à la porte, j'ai vu que c'était bien nos cousins, tante Sophie et oncle Étienne!

– Salut la compagnie! a lancé Olivier.

Puis il nous a tous embrassés. Arrivé à Caroline, il lui a dit :

– Et puis, Caro, tu n'as pas oublié ta lampe de poche?

Fronçant les sourcils, ma jeune sœur a lancé à son grand cousin :

– Tu le fais exprès, ou quoi?

– Comment ça, exprès?!

– Pourquoi tu parles avec une voix d'homme et après avec une voix de Barbie?!

Aïe… Pauvre Olivier. Gêné, il est ressorti chercher les bagages dans leur auto. Ma sœur s'est étonnée :

– M'enfin… qu'est-ce qu'il a? Il est fâché?

– Tu l'as vexé, lui ai-je expliqué. À l'adolescence, ça arrive aux gars que leur voix passe du grave à l'aigu et de l'aigu au grave. Ils ne le font vraiment pas exprès. On dit que leur voix mue. Moi, j'ai l'habitude, car en classe, c'est ce qui arrive à Eduardo ces derniers temps.

Sur ces entrefaites, oncle Alex a fait son apparition, et du coup, le malentendu a été oublié. Fiouuu… Et voilà, cette fois, toute la famille Aubry était réunie! Youpi! Zoé se trouvait dans les bras de sa grand-mère quand Alex est venu les embrasser. Notre bébé chéri a fixé le crâne rasé de son oncle d'un air perplexe. Puis elle a soupiré :

– Seveu pati (traduction : cheveux partis). Oh là là!

Cette fois, on a bien ri, Alex le premier ! Sans s'en offusquer, Zouzou, d'un air infiniment compatissant, s'est penchée vers lui. Oncle Alex a courbé la tête et elle a déposé un délicat baiser sur son front. Exactement, si je me souviens bien, comme le fait Blanche-Neige sur le crâne de Timide qui, lui aussi, a la boule à zéro. (Mais la comparaison entre Alex Aubry et ce nain s'arrête là, car mon oncle, lui, est grand et pas timide du tout !)

Quel repas de roi, ce soir : tourtières, dinde farcie, purée de pommes de terre et de panais avec une touche de sirop d'érable, légumes grillés au four, gratin de bettes à cardes... Tout était succulent. Sans oublier la sauce aux canneberges et oranges ni le ketchup maison (+ le ketchup rouge du commerce pour Caro). Dans la cheminée, le feu crépitait joyeusement. Les conversations allaient bon train. Comme c'est la coutume dans notre famille lors du réveillon de Noël, nous avons soupé à la lumière des chandelles, de la belle flambée dans l'âtre et des décorations lumineuses du sapin (celui qui trône dans le salon, pas l'énorme sapin devant la maison qui est illuminé lui aussi). Zoé était émerveillée. Et il n'y avait pas qu'elle, d'ailleurs. Moi aussi, je ressentais la magie de Noël dans mon cœur.

On en était au dessert quand tante Sophie nous a annoncé une grande nouvelle : elle vient d'être engagée par le Centre d'interprétation des mammifères marins à Tadoussac. Wow ! (Pour ton information, cher journal, ma tante est naturaliste.)

– Si vous venez cet été, nous a-t-elle dit à Caroline et moi, je me ferai un plaisir de vous faire visiter moi-même l'endroit. Vous y apprendrez tout sur les baleines.

– Vous verrez, c'est super cool! a renchéri Félix, très fier de sa mère. On y est déjà allés deux fois.

– Et vous en profiterez pour passer quelques jours chez nous, a proposé à son tour oncle Étienne.

À quoi papa a répondu:

– Avec grand plaisir, Étienne! Ça fait au moins trois ans qu'on n'est pas venus dans votre belle région. On en profitera pour faire une croisière aux baleines.

Yééééé!!! Un beau projet en perspective pour les vacances d'été!

– Et toi, Alex, à part ton périple en Inde, où rouleras-tu ta bosse, l'an prochain? s'est informé papa.

– En Himalaya. Mon expédition là-bas a été reportée au printemps. Et l'automne prochain, il est question que j'aille à Madagascar.

Tous ces voyages, cher journal, ça me fait rêver… Pas toi?

Après la vaisselle, on s'est assis dans le salon. Désignant l'arbre de Noël brillant de mille feux multicolores, Zoé s'est exclamée, pour la 10e fois de la journée:

– C'est beau!

– C'est vrai que c'est beau, a reconnu maman. Mais on pourra encore le voir demain, le sapin, car toi, maintenant, tu vas aller faire dodo.

– Non!

– Tu n'es pas fatiguée?

– Non!

Oncle Alex a plaidé la cause de notre bébé chéri:

– Laisse-la-nous encore un peu, Astrid!

Et, prenant sa plus jeune nièce dans ses bras, il s'est installé avec elle sur le canapé. Zouzou a toujours le béguin pour Alex. Délaissant la contemplation du sapin, elle lui a adressé des petits regards en coin et s'est mise à battre des cils. TROP *cute*! Son oncle chéri le lui rend bien. Il l'a fait sauter sur ses genoux et rire aux éclats.

J'ai participé à quelques parties de cache-cache dans la maison, puis je suis allée chercher mon cahier rouge. Pendant que les autres jouaient au Monopoly, je t'ai raconté notre soirée, cher journal. De temps en temps, je levais la tête et je regardais les braises rougeoyer dans la cheminée. Quelle merveilleuse soirée!

## Samedi 25 décembre

Il est minuit, cher journal! (Plus précisément 0 h 14.) Joyeux Noël! Après les embrassades, les parents ont déclaré qu'il était temps de monter se coucher. Oncle Étienne a enfilé ses bottes et son manteau. Je lui ai demandé où il allait.

– Je vais chercher notre trousse de toilette dans la voiture.

En ouvrant la porte, il s'est exclamé:

– Venez voir, il neige!

Hein!!! Toute la famille s'est précipitée pour contempler ce cadeau de Noël inespéré: la neige tant attendue! Ce ballet de flocons sur le noir de la nuit, c'était magnifique. Si Zoé avait vu ça, elle en serait restée bouche bée. Mais elle s'était endormie sous le sapin. Un vrai p'tit Jésus! À ses côtés, il n'y avait ni bœuf, ni âne, mais sa chenille-doudou et Cannelle sur laquelle elle s'était assoupie. Adorable! *Clic!* J'ai fait une photo avec mon iPod. Bon, je tombe littéralement de sommeil, moi aussi. À + !

11 h 45. Ce matin, j'ai été réveillée par les exclamations surexcitées de Caro et Félix.

– Joyeux Noël, les paresseux! a lancé mon cousin. Au pied du sapin, y a plein de paquets!

– Dépêchez-vous de descendre! a clamé ma commandante de sœur. Dans trois minutes, on commence à les déballer.

Pfff… Moi, j'ai bâillé à m'en décrocher la mâchoire. Tiens, le lit à barreaux de Zoé était vide. Elle avait dû appeler et nos parents étaient venus la chercher sans que je ne me rende compte de rien. Cannelle se trouvait sûrement en bas, elle aussi. Quant à Olivier, il dormait encore à poings fermés. Je l'ai appelé. Se retournant brusquement vers le mur, il a ronchonné:

– Allez-vous me laisser dormir en paix?!

– On nous attend en bas pour ouvrir les cadeaux de Noël, l'ai-je informé.

– Oh, cool!

Mon cousin s'est levé d'un bond.

Moi, j'ai écarté le rideau de la fenêtre. Dehors, tout était silencieux et ouaté de neige. On aurait dit le premier matin du monde. Contre toute attente, on a un Noël blanc, finalement! Oh, un superbe oiseau rouge se tenait sur la clôture: un cardinal. Comme me l'a appris grand-papa quand j'étais petite, lorsqu'on aperçoit un cardinal, sa femelle (dont le plumage est d'un rouge-brun plus terne) n'est jamais loin. *Ah, l'amour...*

Trêve de romantisme, la voix de Caro m'a rappelée à l'ordre. Je me suis donné un coup de peigne, j'ai enfilé mes pantoufles et j'ai rejoint les autres au salon.

Sous le sapin, pour moi, il y avait:
☆ De Caroline: une grande enveloppe décorée par ses soins (ma sœur dessine vraiment bien!). Dedans, j'y ai trouvé une planche de petits cœurs autocollants + quatre émoticônes, autocollants eux aussi. Désignant l'image du père Noël, Caro m'a expliqué: «Tu pourras la coller dans ton journal intime en date d'aujourd'hui! Les petits cœurs sont eux aussi destinés à illustrer ton journal. J'ai choisi des cœurs parce que je t'aime, Alice. En fait, tu es la grande sœur la plus géniale du monde entier!» Elle est adorable, Caro, quand elle veut! Et ces autocollants tombaient vraiment pile-poil car il ne m'en reste presque plus et qu'en outre, j'ai oublié de les apporter à Covey Hill. Mais il y avait un hic. J'avais beau être considérée comme LA grande sœur idéale par Caroline, moi, je me sentais plutôt

comme une sœur indigne. En effet, je n'avais pas pensé à lui offrir le moindre cadeau… Elle m'a assurée que ça ne faisait rien. *J'aime ma sœur !*

☆ De mes parents : le tome 8 de ma série de BD fétiche. En ouvrant le paquet, j'ai un instant regretté qu'ils n'aient pas plutôt pris le dernier tome paru, que je n'ai pas encore lu. Cependant, même si j'ai déjà emprunté *Mais où sont passés les Zarchinuls ?* à la bibliothèque, c'était il y a belle lurette. Alors, tout compte fait, je suis contente qu'il fasse désormais partie de ma collection. Je le relirai pendant les vacances.

☆ Encore de mes parents : des bas collants argentés brillants : wow ! C'est Lola Falbala qui va être jalouse ! (Je blague, cher journal.) Je les porte aujourd'hui avec ma jupe rouge et mon tee-shirt de Lola Falbala, justement.

☆ De mes grands-parents : 25 $ + un pyjama rouge douillet avec deux oiseaux sur une branche enneigée. Mes sœurs ont reçu le même. Trop cool ! (Avec mon beau pyjama mauve et blanc, ça me fait 2 nouveaux pyj confo.) Toi, cher journal, c'est mon pyjama Shrek que tu aimes ? T'inquiète, je ne m'en débarrasserai pas. Je continuerai à le mettre cet hiver (il est encore à ma taille, incroyable… c'est à croire qu'il grandit en même temps que moi !), puis je le passerai à ma sœur qui n'attend que ça.

✩ De ma tante, mon oncle et mes cousins : le tome 14 des Zarchinuls. Exactement celui que je rêvais de recevoir. Yééé!!!

✩ En plus, mes parents nous ont annoncé, à Caro et à moi, qu'on partirait deux jours en famille, la semaine prochaine, pour aller skier dans les Laurentides. Ça fait aussi partie de nos cadeaux.

Tu te demandes, mon bon journal, si j'ai reçu quelque chose d'oncle Alex ? Oui, le plus génial des cadeaux, à partager avec mes sœurs et mes parents : notre hamac. Mais, rappelle-toi, il nous l'a offert en avance, l'été dernier, précisément le jour de mon anniversaire car en cette fin d'année, il était censé être à l'autre bout du monde (au Népal). Mais, comme il l'expliquait hier, son reportage dans l'Himalaya a été reporté au printemps. Grâce à ce changement de programme, on a la chance de l'avoir avec nous pour Noël ! Et puis, après la distribution de cadeaux, oncle Alex m'a tendu une grande enveloppe. Des planches d'émoticônes, de lui aussi ?! Non, pas du tout. À l'intérieur, il y avait quatre photos (en fait deux différentes, en double). Hein, Marie-Ève et moi?! Ah, oui, oncle Alex nous avaient prises en photo à la soirée *Solidarité avec la Turquie,* au début de la 5ᵉ année! Des souvenirs sont revenus d'un coup. Ma meilleure amie tout énervée parce que Simon lui avait déclaré qu'elle était la plus belle, ou quelque chose du genre. Nous qui servions des boissons derrière le bar improvisé dans la grande salle de l'école…

– J'ai pensé à en imprimer un double pour ton amie, a dit mon oncle.

Sautant à son cou, je me suis exclamée:

– Oh, merci! Quelles belles photos! Marie-Ève sera très contente, elle aussi. Et les miennes, je les collerai dans mon *scrapbook.*

– Tu fais un *scrapbook*?

– Enfin, je rêve d'en faire un. Je compte bientôt m'y mettre.

Alors qu'on terminait notre petit-déjeuner, Zoé s'est amusée à lancer les emballages cadeaux en l'air. Ensuite, elle m'a apporté l'album *Boucle d'or et les trois ours,* qu'elle venait de recevoir. L'installant sur mes genoux, je le lui ai raconté.

– Encôôô! m'a-t-elle réclamé à peine l'histoire terminée.

Zouzou, fascinée, m'a écoutée cette fois encore sans bouger. Oncle Étienne et tante Sophie ont bien choisi leur cadeau pour elle!

Maman a encore essayé de joindre sa famille en Belgique. Elle a laissé un message sur la boîte vocale du portable de mamie Juliette. Quant au téléphone de tante Maude, il sonnait toujours occupé. Je voyais bien que ma mère se faisait du souci. Du coup, moi aussi. Il faut dire que mamie vit seule. Alors, si elle avait glissé dans sa douche et qu'elle s'était cassé la jambe ? Et si elle avait eu une crise cardiaque ? Je n'ai pas osé parler de ces scénarios catastrophe à moumou. Je ne voulais pas l'inquiéter davantage. Moins émotif, papa a conclu :

– Écoute, Astrid, ta mère vit sa vie. Elle sait que nous sommes ici. Elle nous appellera certainement aujourd'hui.

Cinq minutes plus tard, la petite musique signalant un appel par Skype a retenti. Maman, Caro, Cannelle et moi, on s'est précipitées dans le bureau. Maude, Lulu et Quentin sont apparus sur l'écran de l'ordi.

– Joyeux Noël ! s'est-on écriés tous ensemble.

Après des salutations enthousiastes, maman a demandé s'ils avaient passé un bon réveillon.

– Bof, a répondu Lulu. On a été privés d'électricité.

– Cool ! a dit Caroline. Moi, j'aime ça, le souper de Noël aux chandelles.

– D'habitude, moi aussi. Mais hier, comme le four ne fonctionnait plus, la dinde était à moitié cuite. Du coup, on a dû se contenter de l'entrée au saumon fumé, de la baguette, de la salade et de la bûche.

– Tout ça à cause de ces maudits chants de Noël ! a maugréé Quentin en levant les yeux au ciel.

– Comment ça ?! ai-je demandé.

C'est Lulu qui a répondu à sa place.

– La collègue de mamounette a eu la mauvaise idée de lui offrir un disque de chants de Noël. Du coup, Maude (ma cousine appelle parfois sa mère par son prénom) l'a fait jouer pendant qu'on préparait le souper. Comme vous pouvez vous l'imaginer, elle n'a pas résisté très longtemps et s'est mise à chanter…

– Oh non ! n'ai-je pu m'empêcher de m'exclamer.

– Eh oui, a soupiré Lulu. Le résultat ne s'est pas fait attendre : il s'est mis à tomber des cordes. On a eu droit à une véritable tempête ! Bref, le quartier s'est retrouvé plongé dans l'obscurité à cause d'une panne de courant.

Quentin a ajouté :

– Et comme le chauffage ne fonctionnait plus, on a vite caillé. On a passé la soirée avec des chandails en laine à col roulé et des écharpes.

Moumou a demandé à sa sœur :

– Maman n'a pas pris froid ?

– Maman, je ne l'ai pas vue depuis 15 jours mais…

– Comment ça ?! l'a interrompue ma mère. Elle n'a pas passé la soirée avec vous, hier ?

– Non, mais rassure-toi, tante Astrid, a dit Lulu. Mamie Juliette va bien. Très bien, même.

C'était le principal, mais je me demandais pourquoi ma cousine arborait soudain un sourire si malicieux.

Moumou s'est informée :

– Elle a été invitée en Ardenne par ses amis ?

Prise d'un fou rire, Maude a fait non de la tête.

– Mais alors, où se trouve-t-elle ?

– Dans les bras d'Esteban.

Là, ça a été au tour de maman de s'étouffer, mais pas de rire dans son cas.

– Quoi, il y a un homme dans sa vie ?! Enfin, je veux dire, un autre homme que papa ?

– Eh oui, sœurette, a répondu tante Maude. Notre mère est amoureuse.

Moumou était incrédule.

– Amoureuse ? Maman ? Tu en es sûre ?

– Sûre et certaine ! a lancé Maude d'un air réjoui qui contrastait avec le visage catastrophé de sa sœur cadette.

– Et de qui, veux-tu bien me dire ?

– D'Esteban Ruiz Lorca.

Ma mère a bombardé sa sœur de questions.

– D'où il sort, celui-là ?! Tu l'as déjà vu, cet homme ? Il est à la retraite ? Où a-t-il rencontré notre mère ? Elle se trouve avec lui en ce moment ? Il ne profite pas d'elle, au moins ?

Maude, qui avait retrouvé son sérieux, a rappelé à Astrid que leur mère était majeure et vaccinée. Elle avait le droit de faire ce qu'elle voulait.

– D'accord. Mais tu ne crois pas qu'elle s'emballe un peu vite ?

– Ah ça, pour être emballée, elle l'est tout à fait !

Moi, j'imaginais déjà ma mamie au cinéma qui tenait la main d'un gentil monsieur un peu vieux mais pas trop. Surprenant. Mais très *cute* !

Plus terre à terre, Caroline a regardé moumou.

– Dis, tu crois que mamie l'embrasse sur la bouche, son amoureux ?

Maman l'a coupée net :

– Voyons, Ciboulette, je ne connais pas les détails !

Elle ne semblait d'ailleurs pas prête à les découvrir, ces précisions sur la relation de sa mère avec cet illustre inconnu…

– Maman a rencontré Esteban à son cours de tango, nous a appris Maude.

– Depuis quand notre mère suit-elle des cours de tango ?! a demandé maman, complètement déphasée.

– En fait, c'était à sa première leçon. Il paraît que ç'a été le coup de foudre !

– Au fond, je suis bien contente pour elle, a déclaré ma mère. Maman méritait de retrouver un gentil compagnon de son âge.

– De son âge ?! s'est esclaffée une nouvelle fois Maude. Alors là, tu n'y es pas du tout, sœurette ! Esteban a 56 ans, paraît-il.

– Quoi ?! Presque 10 ans de moins que maman !

Moumou a accusé le coup. Puis elle a eu un sourire amusé.

– Ça alors ! Eh bien, Juliette me surprend, là !

Lulu a lancé :

– C'est quand même cool, non, ce qui arrive à mamie ?!

– Esteban…, a dit maman, rêveuse. Je le vois grand, avec une chevelure noir de jais et une moustache. Il est espagnol ?

– Oui, mais il vit depuis 15 ans à Bruxelles. En fait, c'est tout ce que je sais de lui. Et aussi qu'il a emmené maman en Andalousie pour la semaine. Elle était pressée, l'autre jour, quand je l'ai appelée. Et depuis, je tombe tout le temps sur son répondeur.

Sur le ton de la blague, moumou a dit :

– Si je comprends bien, Juliette est devenue une mère et une grand-mère indigne. Oublier ses enfants et ses petits-enfants le jour de Noël ! C'est bien la première fois que ça lui arrive !

*Mamie Juliette a vécu un big bang de l'amour ! Wow !*

J'ai hâte de voir à quoi ressemble son bien-aimé. J'ai un bon pressentiment : il doit être sympathique. Je fais confiance au jugement de ma grand-mère ; elle ne sortirait pas avec n'importe qui. Vive l'amour, n'est-ce pas, mon cher journal ?!

Quelques minutes plus tard, grand-maman Francine, qui sortait de la douche, nous a demandé :

– Et alors, avez-vous réussi à parler à Juliette ?

– Non, mais j'ai eu ma sœur, a répondu maman.

– Et ta mère, comment va-t-elle ? Elle n'est pas malade, j'espère ?

Maman a soupiré :

– Non, mais elle est amoureuse.

Les yeux de ma grand-mère paternelle se sont allumés.

– Oh… mais c'est une bonne maladie, ça !

– Mamie va se remarier ! a clamé Caro.

– Là, tu vas un peu vite en affaires, Ciboulette ! a rétorqué maman.

– Et papi Christian ? a questionné ma sœur. Mamie l'aimait et, d'un coup, parce qu'elle a vu cet homme, ce Séban machin chose…

– Esteban, l'ai-je reprise.

– OK, Esteban. Du coup, papi ne compte plus ? Elle l'a oublié ?

Ma mère lui a expliqué :

– Ça fait presque neuf ans que papi est mort, Caroline. Il occupera toujours une belle place dans le cœur de sa femme mais avec cet Esteban, c'est une autre histoire.

J'ai voulu aller prendre ma douche mais zut, à présent, c'était tante Sophie qui monopolisait la salle de bain. En attendant, je suis retournée à l'ordi. Sur son site, Lola Falbala souhaitait de joyeuses fêtes à ses fans. J'ai cliqué sur la photo où elle sort d'un bâtiment par une porte dorée. Elle était juchée sur de vertigineux bottillons blancs à talons aiguilles hérissés de pointes argentées, vêtue d'une minijupe de cuir rouge, de bas rouges et d'un élégant manteau court en fourrure blanche. Chick, son chihuahua adoré, était lové dans son bras gauche.

Sur ces entrefaites, maman est arrivée dans le bureau mais je ne lui ai pas prêté attention, car à cet instant, Lola m'a gratifiée d'un large sourire et m'a saluée de la main. Les flocons qui dansaient dans le vent s'accrochaient dans sa chevelure noire. Ses boucles d'oreilles en diamant ont étincelé lorsqu'elle a déposé son petit trésor à terre. Vêtu de micro-bottillons blancs en fourrure et d'un minuscule manteau assorti à celui de sa maîtresse, Chick s'est mis à trottiner en direction du feu de circulation. Lorsque celui-ci est passé au vert, la star qui tenait son petit chien en laisse s'est tournée vers moi et m'a envoyé un baiser du bout des doigts. Puis, d'un pas étonnamment assuré malgré ses talons aiguilles, elle a traversé la rue derrière Chick. Ils se sont dirigés vers un parc et la vidéo s'est arrêtée là.

Avant de sortir du bureau, maman a commenté :
– Ils vont se promener à Central Park.

Sur son blogue, Lola Falbala explique qu'elle a eu envie de nous offrir cette vidéo, à nous ses fans. Mais que normalement, lorsqu'elle sort, que ce soit à New York ou ailleurs, elle est obligée de se déguiser pour déjouer les paparazzis. Elle signale d'ailleurs à ses fans qu'elle ne loge pas à l'Hôtel Plaza. Plus maintenant qu'elle est devenue si célèbre. Pas la peine donc de l'attendre jour et nuit à la sortie !

Maman a rappliqué.
– Alice, c'est Noël aujourd'hui. Lâche un peu ta Lola Balthazar et viens nous retrouver dans la cuisine, s'il te plaît.
Voilà maintenant qu'Astrid Vermeulen prend Lola Falbazar pour la descendante d'un des Rois mages ! Euh, je veux dire Lola Falbala. Grrrrrr !!! C'est pas possiiiiiiiiiiiiible, cher journal ! Avec cette scrogneugneu de mère distraite, voilà que je finis moi-même par m'embrouiller. Mais quand

j'y pense, moumou a finalement retenu le prénom de ma chanteuse préférée ! Alléluia ! C'est un premier pas !

Après le souper, Caroline et moi on avait décidé d'étrenner nos nouveaux pyjamas. J'ai demandé à maman qu'elle enfile celui de Zoé après son bain. En sortant de la salle de bain, Zouzou sentait délicieusement bon et était à croquer dans son pyjama rouge. Lorsqu'elle s'est aperçue que ses grandes sœurs portaient le même, elle a eu l'air émerveillée. Réfléchissant un instant, elle a pointé son index vers elle et a déclaré :

– Zoé a ti zama.

Puis, désignant Caroline :

– Caoyine a moyen zama.

Et enfin, me montrant du doigt :

– Ayice a gand zama.

Personne n'avait pigé sauf moi. D'abord, j'ai toujours été douée pour comprendre ce que ma p'tite sœur veut nous dire. En plus, c'était moi qui lui avais raconté *Boucle d'or et les trois ours*. Car, dans cette histoire, le bébé ours possède une petite chaise, la maman ours une moyenne chaise et le papa ours une grande chaise. Idem pour la table, le bol de soupe, le lit… Donc, tout naturellement, j'ai « traduit » :

– Zoé a un petit jama. Caroline a un moyen jama. Et moi, j'ai un grand jama.

Oncle Alex s'est exclamé :

– Ha, ha ! Elle est géniale, cette enfant !

Papa lui a répondu :

– Normal, frérot, elle tient de son père !

Quand Zoé a entendu les adultes s'esclaffer, elle s'est mise à rigoler, elle aussi. Elle adore être le point de mire de l'assemblée. Puis, maman lui a expliqué en articulant bien :
– Zoé, toi, tu as un petit pyjama. Caroline a un moyen pyjama. Et Alice a un grand pyjama.
– Non ! a rétorqué notre bébé chéri. Ayice a gand zama !
Levant les yeux au ciel, poupou a soupiré (d'un air comique) :
– Encore une qui voudra toujours avoir le dernier mot !
Caroline a déclaré :
– Bon, on va la coucher, Zoé, ou quoi ? Moi, j'ai hâte de jouer au jeu du meurtrier !

## Dimanche 26 décembre

Il a encore neigé cette nuit. Après le petit-déjeuner, Félix a proposé de faire une bataille de boules de neige. Aussitôt dit, aussitôt fait. Dans mon camp, il y avait Olivier, oncle Alex, tante Sophie et grand-papa. Chaque équipe s'est construit un rempart et a préparé ses munitions (des dizaines de boules de neige). Puis Caroline a donné le signal et c'était parti !

Lorsque maman est sortie de la salle de bain et qu'elle a vu, par la fenêtre, qu'on s'amusait comme des fous, elle a accouru dehors. Oncle Alex lui a proposé de le remplacer dans notre équipe parce qu'il voulait nous prendre en photo. Du coup, on a fait une pause. Deux minutes plus tard, Alex réapparaissait avec son appareil photo et la bataille a repris de plus belle. À la fin, Caro et moi, on était vidées ! À bout de souffle, on s'est laissées tomber hors du champ de bataille (où la neige était toute tassée), sur une épaisse couverture de neige encore intacte.

– On fait des anges ? ai-je proposé.

– D'accord !

Et on s'est mis à bouger bras et jambes. Zoé, qui nous observait, a vite saisi le truc : elle s'est allongée entre nous et a imité un (mini-)ange, elle aussi ! TROP mignon.

Et imagine, cher journal, que ce midi, on a eu droit à un pique-nique ! (Grand-maman Francine adore organiser des pique-niques et, crois-moi, ce n'est pas une température de − 5 °C ni une vingtaine de centimètres de neige qui vont la décourager !) On est donc partis vers 11 h en raquettes en direction de la forêt. Les seules à ne pas avoir de raquettes aux pieds étaient Cannelle et Zoé. Papa transportait son Bichon dans le porte-bébé. Les autres étaient chargés d'un sac à dos avec la nourriture et les boissons.

Après une marche parmi les arbres, on est arrivés à une cabane fermée à clé, qui appartient à des voisins de mes grands-parents. Devant la cabane, il y avait une grande table en pierre. On a ôté la neige qui la recouvrait, grand-maman a sorti une nappe plastifiée et hop, sont apparus une multitude de sandwiches, des chips, des crudités ainsi que l'indispensable bouteille de ketchup (Caro avait tenu à la transporter elle-même!). Oncle Étienne a réchauffé une casserole de soupe aux poireaux sur un réchaud de camping. On a mangé debout mais mmm... comme on s'est régalés! Les festivités continuent, cher journal. On a fêté la retraite de grand-papa, le nouvel emploi de tante Sophie et l'anniversaire de mon père (qui aura lieu dans 4 jours, mais on en profite pour le souligner aujourd'hui avec la famille au grand complet). On a trinqué à leur santé, les adultes avec du vin mousseux et nous les jeunes, avec du Citrobulles.

Hier, pendant que les hommes faisaient leur sieste, on avait préparé en secret un gâteau au chocolat. Du coup, aujourd'hui, mes cousins, ma sœur et moi, on s'est dissimulés derrière la cabane pour allumer les bougies. *39 bougies... c'est pas de la tarte!* Heureusement, il n'y avait pas le moindre souffle de vent et j'ai réussi à apporter notre œuvre surmontée de ces dizaines de petites flammes vacillantes sur la table, devant mon père. Tu aurais dû voir sa tête, cher journal! Il était à la fois surpris, ému et très heureux! Quant au gâteau, il n'en est pas resté une miette. Même pas pour les mésanges ni pour les écureuils. Ni pour Cannelle, qui, de toute façon pour sa santé, ne peut pas manger de chocolat. Mais elle n'était pas à plaindre car elle s'est goinfrée avec les morceaux de sandwiches que s'amusaient à lui lancer mes cousins!

Le soleil déclinait quand on est rentrés à la maison. Il était temps, j'étais fourbue! On s'est mis en pyjama et on a bu une grande tasse de chocolat chaud. Les flammes dansaient dans la cheminée. *Si l'été est la saison du Citrobulles, l'hiver est celle du chocolat chaud. Mmmm...*

Ce soir, Olivier a proposé de jouer encore une fois au jeu du meurtrier. Comme il fallait attendre oncle Alex qui prenait sa douche (avec une salle de bain pour 12 personnes, on devrait presque instaurer un système de tickets pour avoir son tour!), j'en ai profité pour te raconter cette belle journée au grand air, mon « p'tit journal au nez rouge ».

## Lundi 27 décembre

Après une matinée de ski de fond, on a bouquiné dans le salon. Grand-maman était plongée dans le roman policier qu'elle a reçu à Noël de mes parents. Moi, j'ai dévoré le dernier épisode de la saga des *Zarchinuls*. Mathieu Jutras a un talent fou! Je dirais même plus: un talent **foufou**! Ensuite, Caroline a proposé qu'on regarde le *move dub* filmé

à notre école, il y a trois semaines. Madame Pescador, qui était chargée de le mettre en ligne au début des vacances, avait tenu sa promesse. Impressionné, Félix a lancé :
– Ça a l'air vraiment cool à votre école !
– Tu as raison ! s'est exclamée ma sœur, très fière.

Cool, l'école des Érables ? Bof, ça dépend des moments, mais certainement pas le jour de Cruella (le mardi). Oh non, je m'étais juré de ne plus penser à mon affreuse prof d'anglais… Mais à mesure que les jours passent, je me rapproche de la date fatidique où elle plongera son regard inquisiteur dans le mien, me faisant perdre tous mes moyens. Dans 14 jours exactement. Bon, STOP, Alice Aubry ! Pour en revenir à mon école primaire, tout ce qui s'y passe n'est pas 100 % cool, non, mais elle fait partie de ma vie et, à bien y réfléchir, pour rien au monde je n'aurais voulu aller ailleurs.

*L'école des Érables = 80 % cool.*

Oncle Alex est reparti ce soir. Snif… Demain, ce sera à notre tour de rentrer à Montréal. Mon cœur est un peu nostalgique, cher journal, alors je colle ici quatre photos de ce séjour inoubliable à Covey Hill. Celle que j'avais faite de Zouzou & Cannelle qui dormaient sous le sapin, la nuit de Noël. Et trois des nombreux clichés pris par le photographe officiel de la famille Aubry (hi, hi, hi ! oncle Alex, bien entendu !).

*Le soir
du réveillon*

Olivier et moi en pleine bataille (de boules de neige) !

Grand-maman et grand-papa lors du pique-nique dans la neige. Après 43 ans de mariage, ils sont toujours amoureux !

# Mardi 28 décembre

De retour à la maison. En sortant de la fourgonnette, papa nous a fait remarquer que la maison presque en face de chez nous était à vendre. Puis il a ouvert le coffre et Caroline et moi, on l'a aidé à décharger les bagages et à les amener à l'intérieur.

Ma sœur est inquiète pour ses coccinelles. Elle n'en a trouvé qu'une dans la cuisine. Où sont passées les deux autres? Mortes d'inanition, quelque part dans un coin?

En vidant mon sac de voyage, tout à l'heure, j'avais rangé *Pas encore les Zarchinuls?* dans ma collection. Par contre, comme ce soir je comptais lire *Mais où sont passés les Zarchinuls?*, j'avais laissé ce tome-là sur mon bureau. Après le souper et ma douche, je m'apprêtais à m'installer confortablement dans mon lit avec ma bande dessinée mais elle avait disparu. Était-ce à cause de son titre qu'elle me jouait des tours?

Caro, qui écoutait un film avec maman, m'a juré qu'elle n'y avait pas touché. Cette BD ne s'était tout de même pas volatilisée! À ce moment-là, papa a éclaté de rire dans le salon. Du haut des marches, je l'ai aperçu qui était étendu sur le sofa, mon bouquin à la main! Quand j'ai voulu le lui reprendre, il a supplié:

– Oh, laisse-moi d'abord le terminer !
– D'accord, poupou. Mais dès que tu as fini, apporte-le-moi dans ma chambre, s'il te plaît.

Vingt minutes plus tard, quand il est arrivé avec ma BD, il s'esclaffait encore !
– C'est nul, c'est nul, mais c'est excellent !

21 h 25. Poupou a raison !

## Mercredi 29 décembre

Cet après-midi, on est allées se balader, Cannelle et moi. Sur le chemin du retour, on a entendu des cris perçants. Ils provenaient du coin du boulevard Gouin. Une petite fille, que sa mère tenait par la main, se débattait en hurlant. Ma parole, c'était Marie-Capucine ! Madame Bergeron avait dû lâcher le traîneau dans lequel Jean-Sébastien attendait sagement. J'ai déclaré à ma chienne :
– Madame Bergeron a besoin d'aide. Allons-y !

Quand celle-ci m'a aperçue, elle a eu l'air soulagée. Tentant de couvrir les hurlements de sa mini-terreur, elle a expliqué :
– Ma-**WIN**-ie-**WIN**-cine-**WAAAA**-fuse-**WIN**-donn-**WAAAA**-main-**WIN**-pour-**WIN**-averser.

D'après la situation et les bribes de mots que j'étais parvenue à saisir, j'en ai conclu que Marie-Capucine refusait de donner la main pour traverser.

Le feu de circulation est passé au vert. Madame Bergeron a pris sa fille dans ses bras. Attrapant la corde du traîneau de ma main libre (l'autre tenait la laisse de Cannelle), j'ai traversé avec ma voisine et son paquet hurlant et gesticulant. Une fois déposée à terre de l'autre côté du boulevard, Marie-Capucine s'est arrêtée net de crier. Après avoir reniflé un bon coup, elle m'a annoncé :

– Tu sais, Alice, Zean-Sébastien et moi on va avoir une petite sœur.

– Ou un petit frère, a précisé sa mère.

– Z'en ai dézà un, de frère. Ze veux une sœur et elle s'appellera Cinderella.

Madame Bergeron n'avait pas l'air enchantée du prénom choisi par sa fille. Mais, ne tenant pas à provoquer une autre crise, elle ne l'a pas contredite.

J'ai balbutié :

– Oh, mais c'est… c'est… euh… C'est formidable ! me suis-je reprise, prenant le ton enthousiaste qui convenait à la circonstance. Félicitations, madame !

Fille ou garçon, moi, tout ce que z'espérais zut, tout ce que j'espérais, c'était que le futur petit Bergeron soit un ange comme Jean-Sébastien et non une seconde Marie-Caprices ! Sinon, je démissionne. Mais en attendant, j'aimerais bientôt retourner les garder pour garnir ma tirelire.

Quand je suis rentrée à la maison, le téléphone a sonné. Fonçant dessus comme à son habitude, ma sœur a répondu.

– Allô.

– ……………………………………………

Après avoir froncé les sourcils, Caroline a dit :

– Vous êtes chez la famille Aubry.

– ……………………………………………

– C'est pas grave, monsieur. Bonne fin de journée.

Puis elle a raccroché.

– C'était qui ? me suis-je informée.

– Un homme qui voulait savoir s'il y avait encore de la place pour le réveillon.

– Pour le réveillon ?!

– Le réveillon du jour de l'An, j'imagine. Il a réalisé qu'il s'était trompé de numéro.

## Jeudi 30 décembre

Pendant que Zoé faisait sa sieste, maman, Caroline et moi, on a préparé un beau souper de fête pour papa, car c'est aujourd'hui, son anniversaire.

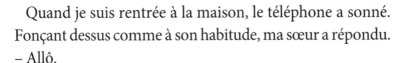

Au menu :
Papillotes de fromage et salade
Gigot d'agneau et son gratin dauphinois
Endives braisées à l'ail et au sirop d'érable
Mousse au chocolat

En ouvrant le robinet de la cuisine pour laver les pommes de terre, j'ai vu une coccinelle sur le point d'être emportée par les flots ! Vite, j'ai arrêté l'eau. La coccinelle est remontée tranquillement le long de l'évier, ne se doutant pas qu'elle venait d'échapper à la noyade. Tiens, une de ses copines se promenait sur la fenêtre. J'ai appelé Caroline. On est contentes qu'au moins deux des coccinelles soient encore en vie.

J'avais à peine fini de râper le gruyère que la musique de Skype a retenti dans le bureau. J'ai cavalé en bas (des fois que ce soit Karim !), suivie par Cannelle, Caro et maman. Une revenante est apparue sur l'écran : mamie ! Elle avait une mine superbe (ah, le soleil de l'Espagne !) et resplendissait de bonheur (ah, l'amour !). Déjà que ma grand-mère belge ne faisait pas son âge, mais depuis qu'elle a rencontré ce danseur de tango, on dirait qu'elle a encore rajeuni. Ils ont passé une semaine de rêve en Andalousie. Esteban lui a fait découvrir Ronda, sa ville natale, Grenade et l'Alhambra, Cordoue… Caroline a interrompu mamie dans sa description des splendeurs de la mosquée-cathédrale.

– Dis, mamie, et ton amoureux, il est comment ?

– Esteban est tout simplement merveilleux, ma chérie !

– Tu nous enverras des photos de vous deux ?

– Avec plaisir.

## Vendredi 31 décembre

Un autre anniversaire : celui d'Emma Shapiro. Emma n'a pas d'iPod ni de répondeur à la maison. Quand je téléphone, la sonnerie résonne longtemps dans le vide. C'est vrai qu'ils doivent être au chalet. Alors, je lui ai écrit un courriel.

Je m'apprête à recopier la liste des anniversaires que j'avais dressée dans mon cahier orange. Je vais y ajouter ceux de Kelly-Ann (le 9 novembre) et de Violette (le 4 février). Ainsi, je pourrai plus facilement vérifier qui est le suivant à fêter. En fait, le suivant est une suivante : Audrey, née le 3 janvier.

Mission accomplie. J'ai punaisé ma liste à côté de ma carte du monde. Bon, il est presque 17 h et je vais aller prendre ma douche puis m'habiller. Je suis excitée comme une puce, cher journal, car ce soir, on va fêter la nouvelle année chez Pierre et Michael ! Du coup, on se couchera hyper tard, ou plutôt hyper tôt puisqu'on sera déjà le 1er janvier. Je porterai mon tee-shirt de Lola Falbala. J'avais envie de mettre ma jupe rouge et mes collants brillants mais je me suis ravisée. Par précaution, j'enfilerai plutôt mon jeans, dont le tissu est épais. En effet, je me méfie de Sushi et de ses griffes redoutables. Mais rassure-toi, je garderai le félin de nos voisins à l'œil. S'il s'approche de moi alors que je suis assise, je me lèverai pour l'empêcher de sauter sur mes genoux.

Tiens, ça me revient, maintenant: Michael avait dit qu'il y aurait un invité de mon âge. Je suis à la fois curieuse et un peu intimidée. J'espère qu'il sera sympathique. Et si ce n'est pas le cas, tant pis, je ne m'en occuperai pas. Hors de question de laisser un chat siamois ou un gars inconnu gâcher ma soirée! Sur ce, je te dis: à l'an prochain, mon fidèle cahier rouge!

## Samedi 1ᵉʳ janvier

### Bonne année!

Il est 9 h 06. Ce sont les cris de Zoé qui m'ont tirée du sommeil. Je suis pressée de te raconter le réveillon d'hier, cher journal. D'abord, lorsque moumou m'a vue arriver dans l'entrée avec mon tee-shirt argenté, elle a voulu que je me change. D'accord, il est de plus en plus court puisque j'ai grandi, mais c'était le seul «top» élégant qui ne se trouvait pas dans le panier de linge sale. Déjà que j'étais en jeans… Alors, j'ai tiré dessus pour l'allonger un peu, papa a pris ma défense et maman a capitulé. On a enfilé nos manteaux et nos bottes.

Dehors, il neigeait à plein ciel. En descendant les marches du perron, j'ai eu l'impression qu'on était une procession de Rois mages : papa portait Zoé, maman, son lit pliant, Caro et moi, les cadeaux pour nos voisins (une bouteille de vin + une belle boîte de truffes en chocolat). Trente secondes plus tard, on sonnait chez eux. Une douzaine d'adultes bavardaient déjà au salon en buvant un verre. Deux petits enfants jouaient sur le tapis. Dans un coin, trois adolescentes discutaient avec animation et s'esclaffaient. Quant à Sushi, pas de traces de lui. Tant mieux ! Pas de traces non plus du gars de mon âge. J'étais à la fois soulagée et un peu déçue. Peut-être que lui et sa famille avaient appelé pour prévenir qu'ils ne viendraient pas. Peut-être étaient-ils cloués au lit par la grippe ?

À la vue du buffet plein de salades colorées, mon estomac s'est réveillé. Heureusement, Pierre est sorti de la cuisine avec un plateau contenant des bouchées fumantes qui sentaient drôlement bon.

– C'est quoi ? a demandé Caroline en en prenant une.

– Un pruneau entouré de bacon.

Moi aussi je me suis servie. Miam, c'était délicieux. Ma sœur est tout de suite allée en rechercher deux autres.

Michael, qui venait nous proposer des pailles au parmesan (re-miam !), s'est adressé à ma mère :

– Tu as terminé d'écrire ton livre de recettes, Astrid ?

– Oui !

– Des recettes belges ? s'est enquise une des invitées qui parlait un peu plus tôt de la Belgique avec moumou.

39

– Non, des recettes à base de tofu.

Aïe. Je sentais qu'Astrid Vermeulen allait se lancer dans l'énumération des bienfaits du tofu… Je me suis éloignée.

La sonnette a retenti.

– Ça doit être nos derniers invités! a lancé Pierre en se dirigeant vers la porte d'entrée.

Me tenant un peu en retrait, j'ai jeté un coup d'œil aux nouveaux venus: un homme blond que j'avais déjà vu (mais où?), suivi par un garçon, blond lui aussi. Le jeune de mon âge. Ma parole, mais c'était Petrus, qui se trouve dans la classe de 6e A et qui habite juste derrière chez nous! Cool! Je me suis approchée pour le saluer. Il semblait content de me voir, lui aussi.

– Ton frère n'est pas là, ni ta mère? lui ai-je demandé.

– Ma mère nous rejoint bientôt et mon frère est resté à la maison. Willem préfère sa routine aux événements spéciaux. Il y a trop de monde, ici. Il serait perdu. Mes grands-parents sont venus chez nous pour passer la soirée avec lui.

Comme certains invités bavardaient avec animation juste à côté de nous, on est allés s'asseoir sur deux poufs en cuir noir, dans un coin du salon. Petrus m'a reparlé du pyjama party de la fin décembre à l'école, et moi, puisque les gars avaient bien sûr dormi dans un autre local que les filles, je lui ai raconté l'épisode «Emma Shapiro somnambule». Figure-toi, cher journal, que Petrus lui aussi est somnambule! Il était en train de me faire rire en me parlant de la fois où sa mère l'avait trouvé endormi dans la baignoire quand j'ai senti une masse souple et molle atterrir sur mes genoux! Sushi! Mon rire s'est coincé dans ma gorge. Le siamois s'est lové confortablement sur mes cuisses. Non mais… Je retenais mon souffle. Michael qui passait par là avec d'autres zakouskis a commenté:

– On dirait que notre chat se plaît bien avec toi, Alice.

Du coup, ç'aurait été gênant de saisir Sushi en vitesse, avant qu'il n'ait le temps de sortir ses griffes, et de le lancer à terre… Affichant un sourire crispé, j'ai commencé à caresser la Bête sauvage du bout des doigts.

– Tu n'as pas l'air très à l'aise avec les chats, a constaté Petrus.

– D'habitude, je les adore! lui ai-je expliqué. Avant, j'avais le plus gentil des chats. Il était tout noir et s'appelait Grand-Cœur. Malheureusement, il était malade et il est mort au printemps dernier. Mais Sushi, lui, a déjà enfoncé ses griffes dans mes cuisses. Du coup, je suis sur mes gardes.

Comme pour me contredire, le matou s'est mis à ronronner.

– Cette fois, on dirait qu'il t'a adoptée.

M'enhardissant, je l'ai caressé plus franchement. Ça semblait lui plaire.

– Moi, j'ai une chatte à la maison, a dit Petrus. Elle s'appelle Ollie. Elle ne griffe jamais. Si tu veux, tu viendras la voir.

C'est alors que Michael a annoncé:

– Avez-vous faim? Je vais chercher la pièce maîtresse!

Lorsqu'il est réapparu, il portait un grand plat avec un animal entier rôti! Horreur absolue!!!

– Michael, tu nous gâtes! a lancé un des convives. Tu nous as préparé ton fameux cochon de lait laqué au sirop d'érable!

Ouvrant de grands yeux incrédules, Caroline a désigné d'une main tremblante le groin, puis la queue en tire-bouchon de la pauvre bête.

*Aïe...*

– Un cochon!!! s'est-elle exclamée, indignée. Vous avez tué un cochon?!!! Mais personne ne mange de cochon, sauf les méchants loups!

Une des invitées a pouffé de rire.

– Elle est adorable, cette petite!

Ma sœur lui a lancé un regard assassin. Pierre a expliqué:

– Les musulmans pratiquants ne consomment pas de porc; les juifs non plus. Sans compter les végétariens, bien entendu. Mais beaucoup d'autres gens, oui.

Se tournant vers moi d'un air inquiet, Caro s'est informée:

– Mais chez nous, Alice, on ne mange pas de cochon, hein?

J'ai bien été obligée de lui dire la vérité.

– Ben oui, parfois. Des saucisses, du filet de porc, du bacon…

– Quoi, tu veux dire que les pruneaux de tout à l'heure étaient enrobés de tranches de cochon?!!! s'est écriée Caroline, carrément horrifiée. Mais c'est affreux! Je ne veux plus jamais manger de cochon de toute ma vie!

Au bord des larmes, elle a porté sa main à son ventre. J'ai eu peur, un instant, que les succulentes bouchées aux pruneaux (ou du moins ce qu'il en restait) n'atterrissent sur le tapis blanc du salon. Mais heureusement, l'estomac de ma sœur n'éprouve aucun problème à digérer la viande de porc. Fiouuu… Papa, qui s'était approché, a tenté de raisonner sa fille en lui parlant doucement :

– Chaton, nous reparlerons de ça à la maison, si tu veux bien. En attendant, viens te servir une belle assiette de salades avec moi.

## Drame au 40, rue Isidore-Bottine !

Michael a commencé à découper l'animal rôti avec un couteau étincelant. (Heureusement, Caro, occupée plus loin à remplir son assiette au bar à salades, ne le voyait pas !!!) Pierre m'a demandé :

– Ta sœur n'aime pas le cochon ?

– Au contraire, elle adore les cochons ! Mais pas dans son assiette. Le cochon est son animal préféré.

– Oh, je suis désolé.

– Ne t'en fais pas, Pierre, a dit maman. Un jour ou l'autre, ça devait arriver.

Je n'ai pas goûté à l'infortuné porcelet mais j'ai fait honneur au reste du buffet. Tout était délicieux. Et le gâteau aux deux chocolats, lui, était tout bonnement divin. Maman a d'ailleurs demandé à Michael de lui refiler la recette. Cool ! Notre voisin est allé chercher un livre de cuisine et l'a ouvert à la page du fameux gâteau. Il paraît que le cuisinier qui a écrit ce bouquin est belge ! Il faut dire que nous, les Belges, on s'y connaît en chocolat. Bon, tout ça me fait saliver, cher journal. Il est déjà 10 h 15. Caroline vient de bondir hors de son lit et on va descendre déjeuner. À +.

11 h 01. Un croissant au beurre, deux œufs brouillés, un kiwi et un bol de chocolat chaud plus tard, me voici de retour. Je suis prête à te raconter la suite de notre soirée. Donc, Petrus et moi, on a vraiment fait connaissance. Ce que j'ai appris sur lui :

→ Avant, il habitait près du boulevard L'Acadie. Lui et son frère partageaient la même chambre. Ils ont déménagé dans une maison plus grande pour que chacun ait sa chambre.

→ Il suit des cours de percussions africaines.

→ Il fait partie d'un club d'escrime.

→ L'été, il sort son cerf-volant & participe au concours de châteaux de sable des Îles-de-la-Madeleine.

→ Contrairement à Éléonore, il aime beaucoup sa classe, à part Antoine Gaudet qui lui tombe carrément sur les nerfs, quand il s'y met.

→ Il déteste Cruella !

Bref, il est super sympa, ce gars-là !

Pendant ce temps, ma mère était en grande conversation avec le père de Petrus. Même si j'avais voulu prêter l'oreille à ce qu'ils disaient, je n'aurais rien compris, car ils parlaient en néerlandais. Pour ton info, cher journal, le néerlandais est la langue utilisée en Hollande et l'une des trois langues officielles de la Belgique (avec le français, bien sûr, et l'allemand, parlé seulement par une minorité de gens vivant près de la frontière avec l'Allemagne). Donc, pour en revenir à ma petite moumou, sa langue maternelle est le français, mais comme elle a appris le néerlandais à l'école et qu'elle adore les langues, elle profitait du fait que son interlocuteur était hollandais pour s'entretenir en néerlandais avec lui.

Plus tard, les ados nous ont invités, ma sœur, Petrus et moi, à se joindre à elles pour jouer à Uno. Tout à coup, Pierre a lancé :
– Dans 10 secondes, il sera minuit…
Son compte à rebours a remplacé les conversations :
– 9… 8… 7… 6… 5… 4… 3… 2… 1… Bonne année !!!

Les invités ont commencé à s'embrasser. Petrus et moi, on s'est regardés et il y a eu un instant de flottement. Je devais l'embrasser ou pas ? Lui s'est penché vers moi et on s'est donné deux bisous, nous aussi. Son attitude naturelle avait dissipé toute gêne. Après m'avoir souhaité une bonne année à son tour, Caroline a ajouté :
– C'est une année doublement spéciale, pour toi, Alice !
– Comment ça ? ai-je demandé.
– L'année de ton entrée à l'école secondaire. Sans oublier celle de tes broches ! Tu dois avoir tellement hâte !!!

Pour le secondaire, disons que j'ai plus ou moins hâte… En réalité, tout ça me semble encore bien théorique. Mais en ce qui concerne mon appareil orthodontique, alors là, je ne suis pas pressée du tout ! Cette épreuve arrivera bien assez vite (le 17 janvier)… Imagine, cher journal, je vais être la seule à avoir des broches dans ma classe. À part JJF !

Michael et Pierre nous ont annoncé qu'ils allaient se marier au mois de juin. Les convives, déjà électrisés d'avoir franchi le cap d'une nouvelle année pleine de promesses, ont acclamé nos hôtes. Un bouchon de champagne a explosé au plafond, provoquant d'autres exclamations joyeuses. Quelques minutes plus tard, papa m'a demandé de saluer et de remercier Pierre et Michael pour ce merveilleux réveillon. On partait.
– Oh non, pas déjà ! me suis-je exclamée.
– Il est minuit vingt, Alice ! Caroline titube de sommeil. Maman est allée emmitoufler Zoé dans une couverture. Je vais démonter son lit pliant puis on y va.

Pfff… Je me sentais un peu comme Cendrillon, qui, alors que la soirée battait encore son plein, devait rentrer chez elle… Petrus avait beau avoir des cheveux blonds, il n'était pas mon prince charmant et on se reverrait, mais quand même, c'était frustrant. À propos de Petrus, je l'ai cherché du regard. Il était en train d'enfiler son manteau. Bon, lui et ses parents s'en retournaient chez eux également. Alors dans ce cas… En venant me saluer, Petrus m'a invitée :

– As-tu envie de venir jouer au ping-pong chez moi demain, Alice ? Enfin, je veux dire aujourd'hui, mais après qu'on aura dormi.

– Ce serait cool ! Vers quelle heure ?

– Quatorze heures, ça te va ?

Lorsqu'on est rentrés chez nous, Cannelle, tout ensommeillée, est apparue en haut de l'escalier et l'a descendu comme à regret. Je lui ai donné un doux bisou. Rassurée de voir que tout allait bien malgré notre horaire inhabituel, elle est remontée s'étendre au pied de mon lit où elle s'est aussitôt rendormie. Pour ne pas la déranger à nouveau, Caro et moi, on s'est déshabillées dans la pénombre. Ma sœur s'est glissée parmi ses cochons en peluche et n'a plus bronché, elle non plus.

Une fois mes dents brossées, je me suis dirigée vers la fenêtre de ma chambre et j'ai écarté le store. Dans la chambre de gauche de la maison derrière chez nous, la lumière clignotait : Willem s'amusait une fois de plus avec l'interrupteur. Et dans celle de droite, celle de Petrus, une lueur brillait derrière les stores. J'ai senti mon cœur battre dans ma poitrine. Ah non, je n'allais tout de même pas avoir le béguin pour mon voisin ?!!! Le rectangle de sa fenêtre est soudain devenu noir. Petrus devait aller se coucher. Me pelotonnant moi aussi sous ma couette, j'ai ressenti un tourbillon d'émotions : l'adrénaline de cette soirée presque magique, Petrus, que je croisais chaque jour depuis la rentrée scolaire mais avec qui, jusqu'à ce soir, je n'avais jamais parlé sauf pour le saluer, notre rendez-vous de demain, mon cœur qui battait allègrement à cette pensée, et Karim, à des milliers de kilomètres d'ici, et le soleil qui, à cette heure, devait se lever sur Beyrouth… Tout à coup, la fatigue m'a submergée et je me suis endormie.

Ça fait drôle de se coucher le 1er janvier et, après une nuit un peu décalée, de se lever, le 1er janvier également ! Au petit-déjeuner, Caro a appris que j'allais jouer au ping-pong chez notre voisin d'en arrière, cet après-midi. Elle a trouvé que j'en avais de la chance et m'a demandé si elle pouvait m'accompagner. Ah ça non, pas question ! Souhaitant dé-samorcer la tension qui risquait de troubler cette paisible fin de matinée du premier de l'an, maman a pris les choses en main. Elle a proposé à ma sœur d'inviter une amie et lui a promis qu'elles iraient faire de la luge au parc Ahuntsic. Retrouvant son sourire, Caro s'est précipitée sur le télé-phone pour appeler Jessica. Fiouuu…

Quand elle est revenue dans la cuisine, papa, qui venait de descendre, se faisait rissoler deux tranches de bacon pour accompagner ses œufs. Caroline s'en est prise à lui.
– Je ne suis pas fière d'appartenir à une famille qui mange du cochon ! a clamé la nouvelle passionaria de la ligue « Le cochon, pas dans mon assiette ! ». Mais moi, c'est fini ; plus question que je participe à ce carnage !

En remontant dans notre chambre, j'ai dit à ma sœur :

– Moi aussi, j'aime les cochons… mais avoue que c'est quand même délicieux, le bacon croustillant et les saucisses que papa fait griller sur le barbecue, en été.

– J'avoue. Mais si j'avais su que c'était du cochon, Alice, JAMAIS je n'en aurais mangé !

Et, des trémolos dans la voix, elle a ajouté :

– J'ai l'impression d'avoir trahi mes frères et sœurs !

– Quels frères ?!

Elle a désigné ses peluches soigneusement bordées dans son lit. Si ce sont les frères et sœurs de Caro, cher journal, du coup, ce sont également les miens… Tu as toujours cru que j'avais deux sœurs ? Eh bien, moi aussi. Et pourtant, j'en ai cinq : Caroline, Zoé, Betty, Rosie et Gudule. Ainsi que cinq frères : Nouf-Nouf, Naf-Naf, Nif-Nif, Tire-Bouchon et Cochonnet. Hi, hi, hi !

13 h 55. Jessica arrivera à 14 h 30. Du coup, Caroline m'a proposé de partir dans quelques minutes pour aller souhaiter une bonne année à monsieur et madame Baldini. Et ensuite, de m'accompagner jusque chez Petrus avec Cannelle. Ma sœur a de la suite dans les idées, cher journal ! Pour les Baldini, j'ai dit oui, mais j'ai refusé qu'elle vienne rue de Salm. Alors, Caro a promis juré craché qu'elle n'attendrait pas que je sonne chez mon nouvel ami pour rebrousser chemin. Non, dès qu'on arriverait à proximité de sa maison, elle repartirait avec Cannelle sans se retourner. Bon, si ça pouvait lui faire plaisir… Avec ma sœur, il faut négocier ferme mais quand elle donne sa parole, elle la tient. À +, cher journal !

49

19 h 05. C'est ce qu'elle a fait. En montant les marches du perron, j'ai aperçu une plaque à côté de la porte.

> Theo Koopman, acupuncteur

Quoi, le père de Petrus soigne les gens avec des aiguilles! Je me suis souvenue de la frousse que j'avais eue à l'Halloween quand cet homme qui vit dans ce que je croyais, à l'époque, être une maison hantée, nous avait ouvert et accueillis, mes amis et moi, avec un sourire «sanguinolent», dû au muffin aux bleuets qu'il venait de manger! Quelle méprise! Moi qui ai peur des piqûres, si j'avais su, ce soir-là, qu'il était acupuncteur, mon imagination aurait embrayé sur le mode «Histoire d'horreur» et j'aurais encore plus capoté!!!

En parlant de peur, tout à coup, j'ai pensé à Willem, 13 ans, que je n'avais encore jamais vu (à part le jour où je l'avais croisé avec sa mère dans la rue) et qui est autiste. L'autisme, c'est une sorte de handicap et Willem a des comportements bizarres: il émet des sons, il crie, il s'amuse à allumer et à éteindre la lumière de sa chambre, etc. J'allais probablement le rencontrer, aujourd'hui. Pas très à l'aise à cette idée, je me suis quand même décidée à appuyer sur la sonnette.

C'est Petrus qui est venu m'ouvrir. Je l'ai suivi au sous-sol. Dans un coin, il y avait des coussins et son djembé, celui qu'il avait apporté à l'école le jour du *move dub*.

Une table de ping-pong occupait le centre de la pièce. Petrus m'a tendu une raquette. La première balle, il l'a lancée à une vitesse supersonique. En la ramassant, je lui ai avoué :

– J'aime le ping-pong mais je ne suis pas très bonne. En fait, les seules fois de ma vie où j'ai joué, c'était l'été de mes 10 ans, chez mes cousins en Charlevoix.

– Pas de problème, on ira à ton rythme, Alice.

Les premières minutes, j'avais beau être suuuper concentrée, la balle me jouait des tours et je la ratais 9 fois sur 10 ! J'étais embêtée que Petrus doive s'adapter à mon niveau de débutante. Cependant, ma gêne s'est dissipée à mesure qu'il m'encourageait.

– Super, Alice, tu l'as eue !

Alors, je me suis prise au jeu et on a commencé à faire de véritables échanges, encore lents, il est vrai, mais de plus en plus longs.

Je reprenais mon souffle lorsque Petrus m'a proposé de monter pour une pause-collation. En arrivant dans la cuisine, il m'a présenté Ollie, sa petite chatte grise. En passant, cher journal, c'est vraiment beau chez eux. La cuisine est en bois naturel. On se croirait à la campagne. Je me suis approchée de la baie vitrée qui donne sur la terrasse et le jardin. Au-dessus de la haie enneigée qui sépare nos deux terrains, j'ai vu notre maison ! Ou, plus précisément, la fenêtre de la salle de bain et à droite, celle de ma chambre. Petrus a sorti le lait ainsi que des biscuits aux pépites de chocolat et on s'est installés à table.

Ses parents nous ont rejoints. Sa mère, très sympathique, a mis en marche la machine à expresso qui a empli la cuisine d'une odeur divine. Puis Willem est arrivé. Quand il m'a aperçue, il s'est arrêté net dans l'encadrement de la porte et a regardé ailleurs. D'un air jovial cherchant à masquer mon malaise, je l'ai salué, comme si de rien n'était :

– Bonjour Willem !

Theo Koopman a expliqué à son fils aîné :

– C'est Alice, une amie de Petrus. Dis bonjour à Alice.

Toujours silencieux, l'ado s'est mis à se balancer doucement de gauche à droite. Son père a répété :

– Dis bonjour à Alice.

Visiblement à contrecœur, et toujours sans me regarder, Willem a fini par répéter, de manière saccadée, un peu comme le ferait un robot :

– Dis… bonjour… à… Alice.


Petrus et moi, on est retournés jouer au ping-pong. Un peu plus tard, alors que je m'apprêtais à rentrer chez moi, il m'a invitée à revenir une autre fois, mais pas la semaine prochaine car il part avec son père skier au Mont-Sainte-Anne.


Ce soir, on a soupé avec Jessica, qui reste jusqu'à demain. Pour une fois, j'ai ma chambre à moi toute seule car les deux grandes amies regardent un film au sous-sol et y dormiront. J'ai essayé d'appeler ma *best* chez son père mais sans succès. Puis, toujours fidèle, cher journal, je t'ai écrit.

Karim & Petrus. Hier soir, la fatigue aidant, je ne savais plus très bien où j'en étais. Mais aujourd'hui, c'est clair et net dans mon esprit. Entre le garçon basané aux cheveux noirs et celui à la peau claire et aux cheveux blonds, mon cœur... ne balance pas du tout. Car c'est toujours Karim qui l'émeut. Petrus, lui, est en train de devenir mon ami, ce qui est super aussi mais totalement différent. Je dois avouer que, tout à l'heure, mon cœur battait la chamade en sa présence, mais c'était uniquement dû au fait que je n'arrêtais pas de courir à droite et à gauche pour tenter d'attraper la balle de ping-pong !

## Dimanche 2 janvier

Hier soir, cher journal, je te parlais de Karim. Eh bien, il m'a envoyé une carte virtuelle pour la nouvelle année ! Du coup, j'ai essayé de l'appeler par Skype mais ça ne répondait pas. Alors, je lui ai écrit un long courriel. J'ai hâte qu'il me réponde !

Je viens d'échanger quelques textos avec Marie-Ève. On s'est souhaité la bonne année. Elle est à Ottawa depuis trois jours. Elle m'appellera dès qu'elle sera de retour chez sa mère vendredi prochain. Elle ne m'a pas donné d'autres détails car elle filait prendre son bain avant d'aller se coucher... J'espère que les choses ne se passent pas si mal (ou peut-être même très bien, on peut toujours rêver) avec Nina, la nouvelle amoureuse de son père.

Caroline, vautrée sur son lit, écrivait tantôt dans un de ses cahiers. Je me suis toujours demandé ce qu'elle y racontait. Ne parvenant plus à réfréner ma curiosité, je lui ai demandé :
– Un jour, tu me feras lire une de tes histoires ?
Redressant la tête, elle a répondu :
– Si tu veux, Alice, tu peux toutes les lire. Mais à une condition.
Oups.
– Laquelle ?
– Que tu me laisses jeter un coup d'œil à ton journal intime.
Je me suis récriée :
– Mais voyons, Caro, il n'en est pas question ! Si ça s'appelle un journal intime, c'est bien parce que c'est ultra-personnel.
– Eh bien, mes histoires aussi sont personnelles. Si c'est ainsi, je les garde pour moi !
Pfff…

## Lundi 3 janvier

Ce matin, j'ai passé un coup de fil à Audrey qui a 12 ans aujourd'hui. Elle m'a dit qu'elle célébrerait l'événement

ce soir avec sa famille. On s'est raconté le début de nos vacances puis sa mère l'a appelée. Du coup, Audrey a déclaré :
– On part faire des courses, Alice. Merci d'avoir pensé à moi ! On se revoit dans une semaine.
– Bonne fête, ce soir, et bonne fin de vacances !

Caroline, qui avait fini de remplir son dernier cahier, a supplié maman de l'emmener à la papeterie. Je les ai accompagnées car non seulement j'aime ce magasin mais aussi je voulais vérifier s'ils n'avaient pas de cahier turquoise. Tu sais, cher journal, que j'en cherche un depuis longtemps. Pas de chance, ils avaient vendu le dernier à la fin de l'année. Et pas moyen d'en commander. Dans la même collection que les cahiers que j'utilise pour mon journal intime, j'en ai quand même trouvé deux nouveaux. D'accord, je sais qu'il m'en reste encore un vert émeraude et un violet, mais j'ai craqué quand j'ai aperçu les cahiers corail et vert lime. J'en ai pris un de chaque. Toi aussi, tu es ravi, cher journal, n'est-ce pas ? Tu sais que cela signifie que je t'écrirai encore longtemps.

À la caisse, une idée a jailli dans mon esprit.
– Avez-vous des grands cahiers conçus pour faire un *scrapbook* ? ai-je demandé à la vendeuse.
– Certainement, a-t-elle répondu. Suis-moi !
En effet, il y avait une dizaine de modèles d'albums destinés au *scrapbooking*. Le choix n'a pas été difficile. J'ai pris celui de la même marque que mes cahiers que j'utilise pour tenir mon journal intime. C'est alors que Caro a

décrété qu'elle aussi avait absolument besoin d'un *scrap-book*. Il fallait s'y attendre… Dans ma tête, j'ai pensé : « Oh, les p'tites sœurs qui veulent toujours copier les grandes… » Mais je n'ai rien dit car si on avait commencé à se disputer, maman aurait dit non pour le *scrapbook*.

Moumou a déclaré qu'elle nous offrait nos cahiers. Cependant, si, en plus, on désirait un album, elle était prête à nous avancer les sous mais on devrait les lui rembourser. TILT ! Je n'avais pas donné de cadeau de Noël à Caroline ? J'allais lui payer son *scrapbook*. Du coup, ma tirelire est presque à sec (il me reste à peine de quoi m'offrir le prochain magazine *MégaStar*). Mais je ne le regrette pas car je suis contente d'avoir fait plaisir à ma sœur. Quant à moi, je vais enfin pouvoir m'y mettre, à mon fameux *scrapbook* !

## Mardi 4 janvier

J'étais en train de sélectionner des photos sur l'ordi pour mon *scrapbook* quand le téléphone a sonné. J'ai répondu :
– Allô !
– Bonjour, a fait une voix féminine. Je voudrais réserver pour demain soir.
– Réserver quoi ?!
– Une table pour quatre personnes. Celle à côté de la fenêtre, si possible. Pour 19 h 30.
  Avant que je lui réponde, mon interlocutrice s'est rendu compte que quelque chose clochait.

– Je suis bien au Papa… quelque chose ? (Je n'ai pas retenu la suite du nom.)

– Non madame, désolée. Vous vous trompez de numéro.

La femme s'est confondue en excuses avant de raccrocher.

## Mercredi 5 janvier

On allait se mettre à table quand la sonnerie du téléphone a fait *Drrrrrrrring*.

– Ne répondez pas, a dit maman en déposant le plat fumant à table. Ils laisseront un message.

Mais papa qui, comme Caroline, décroche le téléphone plus vite que son ombre, avait déjà saisi le combiné.

– Allô.

– ………………………………………

– Vous vous trompez de numéro, madame.

– ……………………………

– Aucun problème. Bonne soirée.

– La personne pensait qu'elle appelait dans un resto ? ai-je demandé.

– Oui, a répondu papa. Comment l'as-tu deviné ?

– Il m'est arrivé la même chose hier.

– Et à moi aussi, a dit Caroline. La semaine dernière.

– Dans ce cas, il ne nous reste plus qu'à ouvrir un restaurant, a conclu poupou à la blague.

– Un restaurant spécialisé dans les plats au tofu ! s'est exclamée maman en riant.

(Car elle se doutait bien qu'on allait protester).

Oh non !!!     *Pas question !*     Quelle horreur !

20 h 09. On a fini de préparer nos bagages. Ne t'étonne pas, cher journal, de ne pas avoir de nouvelles avant vendredi soir car je te laisse dans ma chambre. Demain, le réveil sonnera à 7 h. On déjeunera, on préparera notre lunch pour le midi et, zou, on filera dans les Laurentides. Youpi !

## Jeudi 6 janvier

Hé, hé, tu ne t'attendais pas à ce que je te salue aujourd'hui, cher journal ! En fait, je ne t'écrirai pas un roman-fleuve car on s'apprête à partir. Mais je voulais juste te confier que Caroline a garni son sandwich… de deux tranches de jambon. Je n'allais quand même pas lui révéler que du jambon aussi, c'est du cochon…Top secret !

## Vendredi 7 janvier

Hier après-midi, après avoir loué des skis alpins, on a skié à la station Belle-Neige. Maman avait réservé un chalet en bois rond dans la forêt à Val-David et on y est arrivés quand il commençait à faire noir. J'ai raconté des histoires à Zoé (*Boucle d'or et les trois ours* a toujours autant de succès), papa et Caro se sont chargés d'allumer un feu

*Tu t'en rappelles, du séjour-cadeau en ski ?*

dans la cheminée, maman a sorti le matériel et les ingrédients pour la raclette et en moins d'une demi-heure, on s'est installés à table. J'adore la raclette, cher journal. On devrait en faire plus souvent. Quelle belle ambiance! On se sentait en montagne. J'aurais aimé passer une semaine là-bas. Mes parents ont promis qu'on reviendrait.

Après le dessert, on a commencé à bâiller. Caroline, papa et moi, on a fait la vaisselle pendant que maman installait le lit pliant de Zoé dans leur chambre. La nôtre, à Caroline et à moi, avait des lits superposés. Comme on voulait toutes les deux dormir en haut, on a tiré à la courte paille et Caro a gagné. Peu importe: à peine couchée, j'ai sombré dans un profond sommeil.

Ce matin, c'est à regret qu'on a refermé le petit chalet qui sentait bon le jambon fumé (oups… chuuuut!). Direction: la station de ski Vallée bleue. Même si le soleil était plutôt anémique, aujourd'hui, on a passé une autre belle journée. Les sapins encapuchonnés de neige étaient superbes. Et quel plaisir de glisser sur la neige fraîche qui était tombée cette nuit et qui venait d'être damée!

En rentrant à Montréal, on a trouvé dans la boîte aux lettres un papier nous signalant qu'un colis était arrivé pendant notre absence et qu'il nous attendait au bureau de poste. Papa est directement parti le chercher. C'était bien le traditionnel ballotin de pralines des fêtes qu'on n'espérait plus. L'envoi avait mis trois semaines à nous parvenir. En tout cas, nous, on ne mettra pas trois semaines pour venir à bout des chocolats, ça, je te le garantis, cher journal! On les a déjà entamés et ils sont succulents! Les meilleurs chocolats du monde!

Dans la boîte en carton, mamie avait aussi glissé un livre pour chacune de ses petites-filles. Celui qui m'était destiné semblait être un roman d'adulte. Sur la couverture blanche, il y avait le nom de l'auteure, Marie Sizun, et en dessous, le titre: *Un jour par la forêt*. Aucune illustration. À l'intérieur non plus. Le genre de bouquin que nous lirait madame Robinson. Je dis ça, cher journal, mais ce n'est pas une critique. En général, j'aime les livres que nous choisit notre enseignante. Revenant à celui que j'avais reçu, sur la couverture arrière, il y avait le résumé de l'histoire. Comme il a piqué ma curiosité, je te le retranscris ici, cher journal:

*« Ce matin-là, Sabine, onze ans, fait l'école buissonnière. Que fuit-elle vraiment? Est-ce la perspective d'un rendez-vous fixé entre sa mère, dont elle a honte, et son professeur de français, excédée par son attitude en classe, ou l'idée plus confuse qu'elle n'a pas sa place au lycée? Mais au cours de sa journée vagabonde, dans ce Paris qu'elle découvre, bien des choses vont changer. Le hasard d'une rencontre lui révé-lera le trésor qu'elle porte en elle. »*

Une fille de mon âge qui a des problèmes avec un de ses profs… Ça m'a tout de suite fait penser à Cruella & moi! Et ouvrant le livre, j'y ai trouvé une carte de vœux. Mamie y avait écrit:

*Chère Alice,*

*Lorsque j'ai découvert ce beau roman, le mois dernier, j'ai pensé qu'il te plairait sans doute à toi aussi. Bonne lecture ; tu m'en donneras des nouvelles. Et bonne et heureuse année !*

*De mamie Juliette qui t'embrasse tendrement*

21 h 17. J'allais me plonger dans mon nouveau livre quand Marie-Ève m'a appelée. Elle était de retour à Laval. Comme cadeau de Noël, son papa lui a offert un séjour à son camp d'équitation durant le long week-end de la fête des Patriotes, au mois de mai. Mon amie se réjouit à l'idée d'y retourner.

Et avant-hier, la blonde de son père lui a proposé d'aller faire les soldes entre filles. Une fois au centre commercial, elle a annoncé à Marie-Ève qu'elle pouvait se choisir pour 50 $ de vêtements ou de bijoux.
– Elle est vraiment gentille, Nina. Et toute douce. Elle aime quand papa joue du saxophone. Ma mère, elle, le saxo, ça lui tapait sur les nerfs. J'imagine que c'est parce qu'elle ne supportait plus mon père. Avec Nina, par contre, il est heureux, ça saute aux yeux. Et qu'est-ce qu'ils peuvent rire, tous les deux ! Imagine-toi qu'ils ont le projet d'acheter une maison ! J'aurai enfin une chambre à moi, là-bas.

*Lune de miel... Frédéric & Nina sont heureux.*
*Marie-Ève aussi. Elle apprécie de plus en plus*
*l'amoureuse de son père et ne se sent plus de trop,*
*comme c'était le cas au début. Et du coup, moi, je*
*suis heureuse que tout le monde soit heureux.* ☺

À part ça, Marie et sa mère m'invitent à skier à Bromont, demain. Bien entendu, je suis partante! Cher journal, je m'apprête à te glisser dans mon sac de sport dans lequel j'ai mis mes vêtements et ma trousse de toilette. Comme ça, si j'ai une minute, je pourrai t'écrire demain soir. Car je resterai chez mon amie jusqu'à dimanche.

## Samedi 8 janvier

Quelle radieuse journée! Soleil, ciel bleu, et Marie-Ève, Stéphanie et moi qui glissions sur les pistes étincelantes. En revenant, on s'est arrêtées à un resto, le long de la route, et on a mangé des pâtes. On est arrivées à Laval vers 19 h.

Après ma douche et le bain (express) de Marie-Ève, on s'est installées à trois en pyjama dans le salon, avec du pop-corn. On a regardé *La voleuse de livres*. Trop bon. Et Sophie Nélisse est excellente dans le rôle de Liesel. Dire qu'elle a à peine un ou deux ans de plus que nous dans ce film et que c'est une actrice professionnelle! Ça m'impressionne. Non seulement il s'agit de son troisième long métrage mais Stéphanie Poirier nous a dit que la jeune et talentueuse actrice a aussi joué dans la télésérie *Les Parent*. Stéphanie a ajouté: «Si je ne me trompe pas, le père de Sophie Nélisse est belge. Et sa mère, québécoise.» Juste le contraire de moi.

*Pour en revenir au film, il était beau et très touchant mais la guerre, excuse-moi, cher journal, c'est dégueulasse!*

## Dimanche 9 janvier

Après une grasse matinée et un bon petit-déj', Marie-Ève et sa mère, qui partaient chez des amis, m'ont déposée chez moi.

La première chose que j'ai faite (après avoir salué ma famille, évidemment), c'est filer à l'ordi. Toujours pas de nouvelles de Karim… Chaque jour de cette semaine, lorsque j'ouvrais la boîte de réception, mon cœur battait d'espoir… mais chaque fois, rien. Du coup, pour chasser mes questions sans réponse, du style «Pourquoi Karim ne donne pas de signe de vie? Est-il parti en vacances? M'écrira-t-il cette semaine?», je suis allée promener Cannelle.

En revenant, j'ai aperçu un véhicule tout-terrain noir qui se stationnait derrière notre fourgonnette. La portière côté passager s'est ouverte. Et tu ne devineras jamais, cher journal, qui en est sorti : **GIGI FOSTER** ! J'ai ralenti le pas. Difficile cependant de faire semblant que je ne l'avais pas vue. Alors, d'un ton neutre, j'ai lancé :

– Salut.

JJF, aussi surprise que moi, a grogné :

– Mais… qu'est-ce que tu fais là, Alice ?!

– Ben, j'habite ici.

Et j'ai désigné ma maison du doigt.

Sans plus me porter attention, Gigi a claqué la portière et a rejoint sa mère qui avait traversé la rue. Que faisaient-elles là, toutes les deux ? Cannelle et moi, on a monté les marches du perron et j'ai ouvert la porte. Mais avant de la refermer, j'ai vu que JJF et sa mère entraient dans la maison à vendre. Me souvenant que leur domicile de la rue Périchon était lui aussi en vente, j'ai carrément flippé. Pourvu, cher journal, oh, pourvu que la mère de Gigi n'achète pas le 45, rue Isidore-Bottine ! Pourvu que cette « baraque » ne lui plaise pas du tout. Qu'elle lui découvre un million de défauts, que le toit coule, que les vendeurs en réclament un prix exorbitant… Bref, que Gigi & Co déménagent très loin d'ici.

J'étais catastrophée et je le suis encore. En effet, j'ai toujours adoré notre rue. Mais si mon ennemie publique n° 1 s'installe en face, je ne me sentirai plus vraiment chez moi. J'aurai l'impression d'être surveillée. Je craindrai toujours de la croiser. Le même genre de malaise que ressentirait un lapin si un renard creusait son terrier en face du sien ! Gloups.

Après avoir couché notre bébé chéri pour son dodo de l'après-midi, maman nous a demandé de l'aider à dépouiller le sapin. Papa s'est défilé.

– Moi aussi, mon cœur, je monte faire une sieste. On s'occupera de l'arbre samedi prochain.

Mais tu connais Astrid Vermeulen, cher journal. Quand elle a une idée en tête... Bref, à peine poupou avait-il refermé la porte de sa chambre qu'elle nous a réquisitionnées, Caro et moi. Non seulement on s'est tapé tout le boulot, mais en plus, il a fallu le faire sur la pointe des pieds, sans faire de bruit. Pfff...

Deux heures plus tard, on achevait de ranger les caisses de boules de Noël et de décorations lumineuses au sous-sol quand papa est descendu au salon avec Zoé. En apercevant le sapin dénudé, ma petite sœur a écarquillé les yeux puis les a frottés de ses deux petits poings pour s'assurer qu'elle ne rêvait pas. Mais non. Alors, d'un air fataliste, elle a constaté :

– Umiè pati !

Traduction : Les lumières sont parties. Eh oui, et mercredi, ce sera au tour du sapin de prendre le bord vu que c'est le jour où un camion de la ville ramasse les arbres de Noël pour en faire du compost. Les fêtes sont bel et bien finies et demain, on reprend le chemin de l'école...

Ce soir, Caro nous a proposé de regarder un film en mangeant des pralines. Escortée par Cannelle, je suis allée chercher la boîte dans l'armoire. Elle était si légère que j'ai eu peur qu'elle soit vide. En fait, c'était presque le cas : il ne restait qu'un seul chocolat noir, coiffé d'une noisette. J'ai eu la tentation de le garder pour moi mais à cet instant, comme si on ne me faisait pas confiance, le reste de la famille m'a rejoint. Papa a déclaré :

– Je veux bien me sacrifier si personne ne le prend.

– Tu en as déjà mangé trois aujourd'hui ! s'est insurgée Caro.

– En fait, quatre, a avoué papa.

Puis, prenant un air faussement penaud :

– C'est plus fort que moi… Et après tout, je suis le plus grand.

– Et le plus gourmand, a ajouté maman en lui glissant la praline convoitée dans la bouche.

En retour, elle a reçu un bisou chocolaté.


– Ça fait une éternité qu'on n'a pas vu *Les 101 dalmatiens*, a clamé ma sœur. J'ai pas eu la dernière praline, alors, c'est moi qui décide pour le film !

Pfff… Pfff… moi aussi, ce délice m'a glissé sous le nez (mais je n'ai pas à me plaindre car en deux jours, j'en ai mangé une dizaine, dont trois en cachette…). Va pour *Les 101 dalmatiens*.


Lorsque Cruella d'Enfer est apparue sur l'écran, ça m'a brusquement ramenée à la réalité. « Cruelle diablesse… », chantait Roger Radcliffe au piano. Eh oui… la cruelle diablesse de l'école des Érables sera de retour demain. ☹ Heureusement, demain, je retrouverai aussi Marie-Ève et les autres. ☺ Et puis, je me suis fait deux nouveaux amis pendant les fêtes : Petrus et Sushi. ☺ ☺ Tiens, je vais coller leurs photos ici. Ou plutôt trois nouveaux amis : j'allais oublier la petite Ollie… Mais je n'ai pas de photo d'elle.

Sushi pattes
de velours…

Le père de Petrus a pris une photo
de nous pendant notre premier match !

# Lundi 10 janvier

Ce matin, la première chose que j'ai aperçue était le reflet nacré du pendentif-papillon que ma sœur, déjà habillée, sortait de sa boîte à bijoux. Elle a dit :

– Je descends déjeuner. Allez hop, Alice, dépêche-toi ! Je veux arriver tôt à l'école !

Le frigo était vide, ou presque. Comme maman va faire les courses aujourd'hui, je lui ai demandé de me rapporter un paquet de chips à saveur barbecue. Autant en profiter et en manger pour mes collations puisque, à partir de lundi prochain, je ne pourrai plus le faire pendant une éternité. En temps normal, Astrid Vermeulen aurait pris un air contrarié. Elle m'aurait répété que les chips ne contiennent ni protéines ni vitamines et que l'heure de la collation n'est pas faite pour ingurgiter des calories vides. Mais bon, dans une semaine, j'aurai des broches plein la bouche, alors on n'est pas en temps normal. Sans la moindre protestation, moumou a répondu :

– D'accord, Alice ! Je note ça sur ma liste.

– Des chips BBQ, pas des chips au soya, ai-je bien spécifié. (Je ne sais pas si ça existe, des chips au soya, mais bon, avec l'auteure de *Tofu tout fou !*, il faut s'attendre à tout !)

Papa a réclamé le silence car il voulait entendre la météo à la radio. Ce matin, il fait – 15 °C à Montréal !

– Habillez-vous très chaudement, les filles ! nous a-t-il recommandé.

Sur le chemin de l'école, Caroline et moi on s'est amusées à faire de la buée en expirant dans l'air glacial. Puis ma sœur s'est mise à chanter :

– C'est la fête, la fête !

– Tu es bien joyeuse, lui ai-je fait remarquer.

– C'est vrai, a-t-elle reconnu, le sourire aux lèvres et les yeux pétillants de plaisir. J'ai hâte de retrouver mes amis. Et madame Fattal, bien sûr ! Je vais essayer de la voir avant que les cours commencent. Pour m'informer de sa santé. Et lui demander quand je pourrai lui poser mes questions destinées à ma chronique dans *L'Écho des Érables*. Je voudrais que « Tout, tout, tout sur Pétula Fattal » sorte dans le numéro de mars.

Pétula Fattal… mon cœur à moi est devenu tout **froid**. Le jour J ou plutôt le jour F (pour Fatalité) est arrivé… Cruella : the return !

– Tu en as de la chance ! a lancé ma sœur.

– Comment ça ?

– Parce que tu as anglais demain. Moi, je vais devoir patienter jusqu'à vendredi…

– Tu appelles ça de la chance ?!

Ma sœur m'a dévisagée.

– Quoi, tu n'es pas heureuse de retrouver madame Fattal, Alice ?!

J'ai failli m'exclamer : « Non, vraiment pas !!! » Mais je me suis retenue et à la place, j'ai lâché un prudent :

– Pas vraiment.

– Tu ne l'aimes pas ?!

– Je préférais Miss Twigg.

– Elle était gentille, c'est vrai. Mais j'apprécie encore plus madame Fattal. Avec elle, l'anglais s'apprend tout seul.

On est arrivées devant l'école.

– Salut Caro! Tu as passé de belles vacances?

– Bonjour Nour! Super cool, merci. Et toi?

Après avoir souhaité une bonne journée à ma sœur, je me suis dirigée vers notre érable. Marie-Ève, Simon, Petrus, Jade, Hugo, Violette, Éléonore et Africa étaient déjà là. En m'apercevant de loin, cette dernière m'a fait un grand bonjour de la main. Malgré le froid, elle n'avait pas mis son capuchon et oh, elle ne portait plus ses petites tresses! Ses cheveux sont désormais retenus par un bandeau. Ça lui va super bien! Moi aussi, j'étais heureuse de retrouver mes amis.

☆ Jade était excitée comme une puce.

– Pour Noël, on a reçu une carte, ma sœur et moi. Et dedans, mes parents avaient écrit qu'on partirait en Chine, cet été!

– Et t'as pas eu d'autre cadeau? lui a demandé Audrey.

– À part un brillant à lèvres et un roman dans mon bas de Noël, non. Quatre billets d'avion pour la Chine + le séjour d'un mois là-bas, ça coûte une petite fortune, tu sais. Notre cadeau de Noël, on l'aura donc en juillet.

– Je suis heureuse pour toi, Jade! s'est exclamée Afri. Je te comprends car moi aussi je rêve de découvrir un jour mon pays d'origine. Mes parents aimeraient nous montrer d'où ils viennent, à mon frère et à moi. Le quartier de Dakar où ils habitaient au début de leur mariage. Et le village où vit la famille de mon père.

Son visage s'est fendu d'un sourire éclatant et elle a ajouté :
– Si j'avais les pouvoirs de monsieur Gauthier, je prononcerais une formule magique et hop, Maxwell, mes parents et moi, on passerait les vacances au Sénégal !

– Ma sœur, ça lui a pris du temps pour qu'elle se décide à y aller, en Chine, a expliqué Jade. Le projet ne l'emballait pas.
– Ah non ?! Pourquoi ? ai-je demandé.
– Elle disait qu'on risquait de la prendre pour une Chinoise.
– Mais… c'est une Chinoise ! a lâché Marie-Ève. Enfin, je veux dire une Québécoise d'origine chinoise.
– Moi, je me sens comme ça mais Anaïs, elle, se considère québécoise à 100 %. L'idée d'aller en Chine la perturbait, je crois. Elle a fini par se laisser convaincre. Heureusement, car cette expérience, j'avais envie de la vivre avec elle.

☆ Patrick Drolet était en grande forme, aujourd'hui. Pendant les vacances, il avait fait une provision de blagues de blondes. Il a promis de nous en raconter une chaque jour. Celle d'aujourd'hui :

Pourquoi les blondes ne mangent-elles
pas de bananes ?
Parce qu'elles ne trouvent
pas la fermeture éclair.

Sacré Pat! Catherine Provencher (la seule vraie blonde parmi nous) est celle qui a le plus ri. Bizarrement, ce n'est pas elle qui s'est offusquée mais Violette (qui parfois n'a aucun sens de l'humour). Pourtant, elle n'est pas blonde.

☆ Emma Shapiro portait un nouveau tee-shirt rouge à manches longues orné d'un dalmatien coiffé d'un bonnet de laine avec un gros pompon.
– Il est beau, ton chandail, lui a dit Violette.
– Merci. C'est Justin qui me l'a donné pour Noël.
– Et tes autres frères, qu'est-ce qu'ils t'ont offert?
– Valentin, un cochon d'Inde. Et Benjamin, rien.
– Un cochon d'Inde! s'est exclamée Jade. C'est trop *cute*! Comment l'as-tu appelé?
– Pollux. On l'a mis dans la grande cage de Pépita et ils s'entendent à merveille.
– Pas étonnant, ai-je dit, puisqu'il s'agit d'un mâle et d'une femelle. Ils vont avoir des petits!

Heureusement, cher journal, que Ben, lui, n'a pas pensé à gâter sa sœur à Noël. Car il serait du genre à lui acheter une tarentule ou un scorpion!

☆ La voix d'Hugo a commencé à muer. Mais l'effet «montagnes russes» est moins prononcé chez lui que chez mon cousin Olivier.

☆ Violette, elle, a passé un séjour fantastique à New York chez sa tante. Elle ne tarit pas d'éloges sur Manhattan, et sa meilleure amie Éléonore est bien d'accord avec elle.

☆ Quant à Petrus, il est revenu enthousiaste de sa semaine de ski au Mont-Sainte-Anne. Il paraît que de là-haut, on aperçoit le fleuve Saint-Laurent gelé, et que c'est de toute beauté.

Après nous avoir souhaité une bonne et heureuse année, madame Robinson nous a rappelé qu'avant les vacances, elle avait demandé à madame Duval de concocter une petite routine de mouvements nous permettant de nous défouler physiquement en classe, au besoin. La prof d'éduc avait été emballée par le projet. Dès que la cloche de la récré sonnerait, elle attendrait deux volontaires au gymnase pour leur enseigner la série d'exercices qu'elle avait imaginée. Plusieurs doigts se sont levés mais Jonathan et Jade ont été les plus rapides.

En remontant en classe, Joey avait les joues en feu et les cheveux en bataille. Jade nous a annoncé que madame Duval nous préparerait chaque mois un enchaînement différent. On a eu droit à notre première *pause-adrénaline* (comme l'a baptisée Kim Duval) entre la dictée et la leçon sur les animaux qui hibernent. Full cool !

En quittant la cafétéria, ce midi, on a croisé monsieur Gauthier qui se dirigeait vers la salle des profs.
– Bonjour les amis ! nous a-t-il dit. Avez-vous bien profité de vos vacances ?

*Oh oui, merci! Elles étaient formidables!*
*Trop courtes...*

– Et vous ? Vous avez passé les fêtes dans votre famille en Gaspésie, m'sieur ?

– Bien sûr. J'ai fait du ski de fond tous les jours. Je me suis entraîné pour la TDLG.

– La quoi ?!

– La Traversée de la Gaspésie en ski de fond. Une épreuve sportive qui a toujours lieu en février.

– En février, on n'a pas congé ! a lancé Bohumil.

– Tu as raison. J'y ai participé à trois reprises. L'an dernier, comme il s'agissait de ma première année d'enseignement, j'ai dû renoncer à cette belle aventure. Mais cette fois, je me suis arrangé avec monsieur Rivet. Il m'a autorisé à prendre une semaine de vacances pour l'occasion. En échange, je surveillerai la cafétéria les mercredis midi.

Eduardo a fait remarquer qu'avant son congé de maladie, c'était madame Fattal qui était de faction à la cafèt, ce jour-là.

– Votre enseignante d'anglais est de retour, a confirmé notre ancien prof. Mais désormais, elle ne s'occupera plus de la cafétéria.

Hein ! On a laissé éclater notre joie.

*Yé!*   *Quelle chance!*   *Trop nice!!!*
*Tant mieux!*   *Méga cool!*

Monsieur Gauthier a posé un doigt sur ses lèvres en faisant :

– Chuuuut, les amis. Un peu de discrétion.

Mais ses yeux brillaient. Il était clair qu'il comprenait notre enthousiasme.

Changeant de sujet, Jonathan a demandé à notre ancien prof s'il avait eu de beaux cadeaux, à Noël.

– Oh oui ! J'ai notamment reçu deux billets pour assister à un match de la LNB.

– WOW ! s'est exclamé Jonathan, émerveillé. Et qui vous accompagnera ?

– Ma copine.

– Elle s'appelle comment, vot'copine ?

Catherine Frontenac lui a lancé un coup de coude.

– Voyons, Joey, arrête de poser des questions indiscrètes !

Moi, j'ai demandé ce qu'était la LNB. Me toisant d'un air méprisant, Gigi Foster a sifflé :

– La Ligue nationale de basket, chose ! Tout le monde sait ça !

Emma a pris ma défense.

– C'est pas vrai, Gigi ; moi non plus, je n'en avais jamais entendu parler.

Des billets pour un match de basket… Heureusement que moi, ce n'est pas ça que j'ai reçu à Noël !

À part ça, l'année démarre en lion à l'école : madame Robinson nous a expliqué qu'au secondaire, les élèves doivent faire preuve de plus d'autonomie. Du coup, elle veut nous apprendre à organiser notre travail. Elle continuera à nous donner des devoirs et des leçons pour le lendemain. Mais à partir de maintenant, elle nous refilera en plus, le lundi, du travail pour le vendredi. Cette semaine, on doit établir un abécédaire sur le thème «Bouger!». C'est le genre de travail qui me plaît, cher journal, et du coup, je l'ai déjà quasiment fini. Tu es curieux? Le voici!

| | |
|---|---|
| Acrobatie | Natation |
| Badminton | Olympiade |
| Courir | Plonger |
| Danser | Quidditch ← *(il s'agit bien d'un sport, mais qui existe uniquement dans l'univers d'Harry Potter!)* |
| Escalader | Réchauffement |
| Football | Sauter |
| Grimper | Trampoline |
| Haltères | U? |
| I? | Vélo |
| Judo | W? |
| Karaté | X? |
| Longueurs de piscine | Yoga |
| Marathon | Zumba |

Il ne me reste que 4 lettres à compléter mais j'ai le reste de la semaine pour y penser. Encore que je doute de trouver un sport ou un mot désignant un mouvement et qui débute par la lettre X…

20 h 58. Je viens de boucler mon sac d'école. En y glissant mon manuel d'anglais, j'ai senti mon cœur se serrer.

Demain, mon calvaire va recommencer… Tilt! Je prends une résolution : ne pas lâcher. Tu en es témoin, cher journal. En écrivant ça, je sens monter une force nouvelle en moi. J'ai presque onze ans et demi, maintenant. Si madame Fattal n'était pas perchée sur ses talons hauts, je la rattraperais bientôt, question taille. Bref, je REFUSE désormais d'avoir peur d'elle. Tant pis si elle s'énerve pour un oui ou un non et me traîne dans le bureau du directeur. J'espère juste que mon courage tout neuf ne flanchera pas lorsqu'elle sera devant moi.

## Mardi 11 janvier

Bon, tu veux connaître la blague de blondes du jour, cher journal? D'accord, mais je te préviens : elle n'est vraiment pas subtile!

Dans une classe de 6ᵉ primaire, il y a une blonde, une brune et une rousse. Laquelle a les plus gros seins? La blonde, car elle a 18 ans!

Du Patrick tout craché. D'ailleurs, il était le seul, avec Eduardo, à rigoler… Ah, les Pated!

Cet après-midi, Jonathan, Bohumil, Marie-Ève et moi, on a été les premiers à entrer en classe. Perchée sur de nouvelles chaussures noires vernies à talons aiguilles et vêtue d'un tailleur bleu électrique, Cruella nous tournait le dos. Elle finissait de coller une feuille blanche au tableau, à l'aide de papier collant. Déterminée à ne pas me faire remarquer, j'ai discrètement gagné ma place. Debout à côté de son bureau, la prof d'anglais était tout sourire.

Après nous avoir salués et souhaité une «*Happy new year!*», elle a déclaré que pour fêter son retour, elle avait une surprise pour nous. Enfin, pour l'un ou l'une d'entre nous. Nous présentant un magazine, elle a spécifié qu'il s'agissait d'un nouveau mensuel sur New York destiné aux jeunes de 12 à 18 ans qui apprennent l'anglais. Sur la couverture, on y voyait deux ados, un gars et une fille, qui faisaient du jogging dans un parc avec, à l'arrière-plan, des gratte-ciels. Et le titre du magazine, *NYC,* était imprimé en fluo (le *N* jaune, le *Y* vert et le *C* orange).
– Je vous encourage vivement à vous abonner, nous a dit l'enseignante. Je vous distribuerai le formulaire tout à l'heure. Mais tout d'abord, voici un coupon donnant droit à un abonnement d'un an gratuit. Pour déterminer lequel d'entre vous en bénéficiera, j'ai organisé un petit concours.

Alors, là, cher journal, j'en suis restée baba! Madame Fattal, fêter son retour?! Nous offrir une surprise?!! Organiser un concours?!!! Choisir un magazine pour ados qui avait l'air tendance plutôt qu'une revue didactique et soporifique datant du temps de Mathusalem... Ça ne lui ressemblait pas du tout. Mais peut-être que ce congé de deux mois lui avait fait le plus grand bien. Peut-être qu'il l'avait métamorphosée...

Je me suis détendue. Crucru a expliqué :

– Pour remporter le prix, il vous faut trouver le chiffre de 1 à 100 que…

– 199 ! a lancé Jonathan en bondissant sur ses pieds.

Cruella l'a fusillé du regard.

– Veux-tu bien rester tranquille, toi ! Tu es disqualifié.

– Ça veut dire quoi ? a demandé Joey.

– Ça signifie que tu ne peux plus participer au concours. Ne bouge plus d'ici la fin du cours, sinon je t'envoie chez monsieur Rivet !

Pendant quelques instants, j'avais cru à un miracle. Mais j'étais vite revenue sur terre. Malgré des semaines de repos, Cruella était aussi détestable qu'avant. Et Jonathan en faisait les frais. Le pauvre, il avait l'air penaud. Bref, la cruelle diablesse a donné le feu vert et les chiffres ont jailli de tous côtés :

61! 48! 9! 64!

83! 55! 19! 36! 27! 53!

Un « Stop ! » péremptoire nous a coupés net dans notre élan. De sa voix criarde, Cruella a réclamé :

– Un peu de discipline, s'il vous plaît ! Décidément, il était temps que je vous reprenne en main ! Vous allez proposer votre chiffre chacun à votre tour.

Pfff… Elle a désigné Jade, assise au bout de la première rangée, qui a dit : « 99 » puis Hugo (32), Emma (75), Gigi Foster (10) et ainsi de suite… Moi qui n'avais jamais remporté de prix de ma vie, j'avais très envie de gagner celui-ci! J'essayais de retenir les chiffres lancés par mes amis pour ne pas répéter un de ceux-là quand ce serait à moi. Mais impossible de me concentrer! Quel nombre choisir?!? À l'instant où, à mes côtés, Marie-Ève a lancé: «15» et que la prof a une fois de plus secoué la tête de gauche à droite avant de se tourner vers moi, j'ai figé.

– Alors, Alice Aubry, tu passes ton tour? m'a-t-elle demandé avec un sourire sournois.

Venant à ma rescousse, le numéro de ma maison a traversé mon cerveau.

– 42!

Cruella m'a considérée d'un air étonné. Puis, à regret, elle a lâché:

– C'est ça.

Se tournant vers le tableau, elle a décollé la feuille qui masquait LE chiffre. Il était bien inscrit:

 Hein, j'avais gagné?!

L'index pointé vers moi, Crucru m'a accusée:

– Tu as triché, ma fille!

– Triché?! ai-je répété, incrédule.

Sous le choc, j'ai rougi jusqu'aux oreilles. J'ai protesté:

– Oh non, madame, je n'ai pas triché!

– En arrivant en classe, tu as aperçu le numéro gagnant juste avant que je ne le recouvre.

– Pas du tout, je vous assure !

– Puisque je ne peux pas prouver que tu m'as dupée, alors tiens, voilà le coupon.

Et, d'un air rageur, elle l'a plaqué sur mon pupitre. PAF ! Tandis qu'elle rejoignait son bureau à grands pas, elle a ajouté :

– Mais à mon avis, tu ne le mérites pas.

Tous les regards étaient tournés vers moi. Certains, comme ceux de Stanley et de Gigi Foster, étaient suspicieux. D'autres compatissants. Cruella a tapé dans ses mains.

– Passons aux choses sérieuses, maintenant ! Audrey, tu distribues les formulaires d'abonnement. Et les autres, ouvrez votre manuel à la page 74. Il est plus que temps de rattraper le retard accumulé pendant mon absence !

Hébétée, j'ai obéi comme un automate. Ma joie d'avoir remporté le prix s'était évanouie. Elle faisait place à un profond sentiment d'injustice. J'ai toujours aimé jouer, cher journal. Mais je ne triche pas. Bon, je reconnais que quand j'étais petite, ça m'arrivait parfois ; je voulais tellement gagner. Mais plus maintenant, car gagner en trichant n'est pas être le meilleur. C'est faire semblant. On n'a pas la satisfaction profonde d'avoir remporté la victoire.

Ensuite, Cruella nous a interrogés sur ce que nous avions appris avec Miss Twigg.

À la fin du cours, madame Fattal a eu le culot de critiquer la remplaçante.

– À ce que je vois, elle vous a donné de bonnes notes. Mais avec moi, les bonnes notes, il faut les mériter !

– Miss Twigg était formidable ! a lancé Patrick. Tout le monde l'aimait, elle.

À quoi Crucru a froidement répliqué :

– Elle n'était pas payée pour se faire aimer mais pour continuer à vous enseigner le programme d'anglais. Et d'autre part, comment oses-tu me défier ainsi ?

En arrivant chez moi, la rage au cœur, j'ai fait une boulette du coupon me donnant droit aux 12 prochains numéros du magazine *NYC* et je l'ai jetée dans le bac de recyclage. Tant pis pour l'anglais !

TILT ! Deux minutes plus tard, je suis allée récupérer le coupon et je l'ai défroissé. Je le donnerai plutôt à Violette qui a tant apprécié son séjour à New York. RETILT ! Je me lance un défi, cher journal : trouver, pour chaque lettre de l'alphabet, un adjectif qui décrive le tyran qui me tient lieu de prof. Je vais d'abord dresser ma liste sur une feuille de brouillon. Et ensuite, promis, je la mettrai dans tes pages, cher journal. À +.

18 h 06. Me voici de retour. J'ai tapé ma liste d'adjectifs (et d'expressions) sur l'ordi. Je l'ai imprimée et je la colle ici.

# L'abécédaire de Cruella

**A**utoritaire. Antipathique. Acariâtre. Agressive. Atroce. **B**ête. Blessante.

**C**ruelle. Casse-pieds. Coupante. Caractérielle. Cynique. Condescendante (envers monsieur Gauthier).

**D**ésagréable. Déplaisante. Détestable. Diabolique. Dure. Démotivante. Démoralisante.

**É**nervante. Exaspérante (elle qui nous a fait relire le code de vie à chaque rentrée scolaire!). Enquiquinante. Exécrable. Ennuyante.

**F**ourbe. Froide. Fatale. Fataliste. Fausse. Fatigante. Féroce. **G**rincheuse. Glaciale.

**H**orrible. Horripilante. Hostile. Haineuse. Hargneuse. Hautaine. Haïssable. Hypocrite. Humiliante.

**I**njuste. Intimidante. Intransigeante. Implacable. Inflexible. Intraitable. Ingrate. Insidieuse. Insupportable. Infernale. Invivable. Impatiente. Irascible. Ignoble.

**J**amais contente.

**K**?

**L**... Lassante? Bof, car Cruella est pire que ça.

**M**échante. Moqueuse. Malveillante. Malcommode. Maléfique. Malfaisante. Menaçante. Mauvaise. Maniaque. Machiavélique. Mielleuse (avec ses chouchous).

**N**égative. Nuisible. Néfaste. Narquoise.

**O**rgueilleuse. Odieuse. Oiseau de mauvais augure. Offensée pour un rien.

**P**énible. Pessimiste. Perfide. Pernicieuse.

Quelle malchance de l'avoir eue comme prof pendant 6 ans!
Redoutable. Revêche. Rancunière. Revancharde. Rigide.
Ringarde. Railleuse. Rébarbative. Rabat-joie.
Sèche. Sinistre. Sournoise. Sadique. Sarcastique. Stressante.
Suspicieuse.
Terrible. Terrifiante. Traumatisante. Toxique. Tyrannique.
Ultra-pointus, comme ses talons aiguilles: tic-tic-tic-tic-tic...
Véhémente. Vindicative. Vengeresse. Vieux jeu.
W? What?! My Goodness, Alice Aubry, I give you 0!
X?
Your accent is hopeless, Alice Aubry.
Z? Zut, revoilà Cruella! Ou, pour terminer par une note
positive: Zoé n'aura jamais madame Fattal comme prof
d'anglais.

Te voilà bouche bée, cher journal, devant la richesse de mon vocabulaire... Je dois t'avouer qu'après avoir griffonné rageusement une quarantaine d'adjectifs sur une feuille de brouillon, j'en ai cherché d'autres sur Antidote. J'étais tellement concentrée que je n'ai pas vu le temps passer. Il me reste tout mon travail scolaire à faire... Mais au moins, même si on est mardi soir, pas de problème, car ma télésérie préférée recommence seulement la semaine prochaine. Non, je n'ai pas perdu mon temps avec cet abécédaire. J'avais besoin de me défouler et, effectivement, ça m'a fait un bien fou! *La revanche d'Alice*!

19 h 54. Ce soir, on a parlé par Skype à oncle Alex. On lui a souhaité un bon voyage. En effet, c'est demain qu'il part

en Inde! Si je lui avais raconté ma mésaventure de tout à l'heure, il aurait été outré. Mais il m'aurait dit de ne pas m'en faire et de profiter de mon prix. Après tout, je le sais, moi, que je l'ai remporté honnêtement. C'est ça l'important. Bon, je m'en vais de ce pas remplir le coupon et le poster. J'en profiterai pour sortir Cannelle.

20 h 40. Mission accomplie. Tout à l'heure, donc, m'adressant à ma chienne, je lui ai proposé, en détachant bien les syllabes du dernier mot :
– On va se pro-me-ner ?
Et comme à chaque fois, elle a sauté de joie. Pendant que je lui attachais sa laisse, je me suis dit que dans la vie, il y a des personnes nuisibles, qui se font un malin plaisir de vous mettre des bâtons dans les roues. Heureusement, il y a aussi des êtres merveilleux qui nous veulent du bien et dont l'affection emplit notre cœur de bonheur. C'est le cas notamment de Cannelle. Prise d'un gros élan de tendresse, j'ai enfoui ma tête dans les poils de son cou et je lui ai donné plein de bisous. L'amour est plus fort que la haine, cher journal. Tout à coup, c'est comme si l'humiliation de Cruella et le doute qu'elle avait fait planer sur mon honnêteté n'avaient plus d'importance.

Après avoir déposé l'enveloppe dans la boîte postale au bout de la rue, on a fait le tour du pâté de maisons puis on est vite rentrées. Car ce soir, le froid est mordant.

85

## Mercredi 12 janvier

Ce matin, j'ai commis le sacrilège de me rendormir alors que Caro était déjà descendue déjeuner. Résultat : on est arrivées tard à l'école. Au grand dam de ma sœur qui, elle, aime avoir le plus de temps possible avec ses amis avant de monter en classe. S'il n'en tenait qu'à elle, elle mettrait son réveille-matin à 6 h pour faire son entrée dans la cour à 7 h tapant !

Bref, la cloche sonnait et je me suis dirigée vers l'escalier. Plusieurs filles de 6e A entouraient Gigi Foster.
– Montre-nous…, lui a demandé Brianne.
– Wow, ça te fait un beau sourire ! s'est exclamée Magalie.
JJF est débarrassée de ses broches, cher journal. Ça m'a rappelé que dans 5 jours, ce sera à mon tour d'en avoir… Point positif : moi qui avais peur de ressembler à mon ennemie publique n° 1, au moins, ça ne risque pas d'arriver.

19 h 08. Par contre, ce qui risque d'arriver, c'est que JJF emménage en face de chez nous. Il y a 5 minutes, Zoé et moi on regardait la neige tomber par la fenêtre du salon… quand tout à coup, j'ai vu mon ennemie et sa mère entrer avec deux messieurs (le beau-père de Gigi et l'agent immobilier, j'imagine) dans la maison à vendre ! Horreur absolue ! Moi, je n'ai jamais déménagé, mais j'imagine que lorsqu'on revient visiter une maison, c'est

qu'elle nous plaît beaucoup et qu'on s'apprête à l'acheter. Au secouuurs!!!

## Jeudi 13 janvier

Ce soir, en rangeant mon sac d'école, j'ai vérifié dans mon agenda si j'avais bien tout fait pour demain. Oups! L'abécédaire... Pas celui de Crucru (le ciel me tomberait sur la tête si elle mettait la main dessus!) mais celui sur la thématique «Bouger!». Il me restait à trouver des mots commençant par I, U, W et X. À court d'idées, je suis descendue à l'ordi.

J'ai tapé: «sports commençant par la lettre I» et je suis tombée sur un site qui recense, par ordre alphabétique, les 250 disciplines sportives reconnues dans le monde. Du coup, ça donne:

✳ Iaïdo (connais pas. J'imagine qu'il s'agit d'un art martial du style judo, taekwondo ou aïkido).

✳ *Ultimate Frisbee* (apparemment, il n'existe pas de traduction française pour ce sport qui, en passant, a l'air super – j'ai regardé quelques images sur Internet).

✳ Waterpolo (j'aurais pu aussi mettre *Wii Sports,* le jeu vidéo auquel ma grand-maman est accro. Moi qui croyais ne rien trouver pour la lettre W, j'en ai deux, finalement!).

✳ Pour le X, je m'en doutais: en français, il n'existe pas de sport débutant par cette lettre. Mais bon, 25 lettres sur 26, c'est déjà pas mal.

# Vendredi 14 janvier

Cet après-midi, madame Robinson nous a proposé un match de mots. On s'est installés sur nos coussins, les rouges d'un bord et les jaunes de l'autre. La prof s'est assise sur une chaise entre nos deux équipes. Après nous avoir dévoilé les lettres qui doivent se retrouver dans nos mots et dans l'ordre (ANGE), elle a enclenché son chronomètre.
– Ben, ange! a lancé Audrey.
– Bien, un point, mais encore…, a répondu la prof.
– Mange! (Hugo)

– Botrange! me suis-je exclamée à mon tour.
– Ça veut rien dire! a lancé Stanley, qui pourtant faisait partie de mon équipe.
– Oui, ça existe. Le signal de Botrange est le point culminant de la Belgique.
– Elle et sa Belgique…, a soupiré Gigi Foster.

Catherine Frontenac a lancé:
– Angélique!
Et JJF:

– Grange !

– Le Gange ! ai-je renchéri.

– C'est quoi ?! m'a demandé Jonathan.

– Un des plus longs fleuves du monde. Il se trouve en Inde.

– Comment tu sais ça, Alice ?

– Mon oncle se trouve là-bas en ce moment. (Ce qui n'était pas tout à fait exact, quand j'y pense. Alex prend seulement son avion ce soir et arrivera en Inde demain.)

À la récré, Marie-Ève et moi, on partageait mon sac de fromage en grains quand Gigi Foster s'est amenée avec Chloé. Cette dernière m'a demandé d'un ton mielleux :

– Et comment va ton oncle, Alice ?

– Euh…

– Celui qui est en Inde. C'est pratique d'avoir un oncle qui voyage au bout du monde. Ça permet d'attirer l'attention.

– Et ça fait chic de venir d'Europe et de le rappeler à la moindre occasion, a renchéri Gigi Foster. Moi qui subis Alice depuis des années dans ma classe, j'en sais quelque chose ! Cette fille cherche toujours à se rendre intéressante.

Quoi !!! De colère, j'ai avalé une crotte de fromage de travers. Je me suis mise à tousser, tousser. J'ai entendu Marie-Ève prendre ma défense. Puis, sortant un bonbon de sa poche, elle l'a déballé, me l'a tendu et m'a murmuré :

– Suce-le, ça va passer.

En effet, ça m'a aidé à retrouver mon souffle. Alors que la peste et son acolyte s'éloignaient d'un pas nonchalant, je me suis exclamée :

– C'est pas vrai, Marie, que je me vante ! Est-ce ma faute si ma mère est belge et que je connais plusieurs choses à propos de son pays qui est aussi le mien ? Est-ce ma faute si mon oncle sillonne la planète pour son travail ?

– Bien sûr que non, Alice ! Voyons, tu n'as pas à me convaincre. Depuis la maternelle, cette chipie cherche à t'énerver. Et chaque fois, tu mords à l'hameçon. Ne l'écoute plus quand elle te dit des niaiseries.

Ma meilleure amie a raison. Mais on dirait que les remarques désobligeantes de JJF me font toujours réagir au quart de tour.


– Tu sais pas la meilleure ? ai-je demandé à Marie-Ève. Gigi va sans doute devenir ma voisine.

– Nonnnnnn !!!

– Malheureusement oui. Elle et sa mère ont visité pour la deuxième fois la maison à vendre en face de chez moi.


Quel plaisir de retourner patiner avec Africa et Kelly-Ann, le vendredi après l'école ! Tout en tournant en rond sur la patinoire, on a parlé de JJF. À elles aussi, je leur ai annoncé ce qui risquait de m'arriver. Puis Kelly-Ann m'a demandé si je continuais à tenir mon journal intime.

– Oui. Et toi ?

– J'ai écrit pendant les vacances, mais durant l'année scolaire, avec mes quatre entraînements de patinage artistique par semaine, je n'ai vraiment pas de temps à y consacrer.

– Moi, j'avoue que je ne peux plus m'en passer !

Kelly-Ann s'était mise à patiner de reculons, comme si de rien n'était.

Je me demande toujours comment elle sait à quel moment il faut tourner. Et comment elle fait pour ne pas heurter les autres patineurs. On dirait qu'elle a des yeux tout autour de la tête. Je lui ai demandé de m'apprendre à patiner en arrière. En théorie, j'ai compris le truc mais en pratique, j'avance à la vitesse d'un escargot. Alors, je me suis retournée et on a continué à patiner vigoureusement jusqu'à la fin de la période de patin libre.

Après le souper, Caroline et moi on s'est installées en pyjama sur le divan. Et on s'est plongées dans le 2e numéro de *L'Écho des Érables* qu'on nous avait distribué à l'école aujourd'hui. Pour faire plaisir à ma sœur, j'ai commencé par la lecture de « Tout, tout, tout sur Kim Duval! ». Caro est vraiment douée, cher journal! J'ai appris plein de choses sur notre prof d'éduc. Notamment:

Son plat préféré : les sushis

Sa friandise favorite : ex-æquo : le sucre à la crème de sa grand-mère et les bonbons à la menthe

Sa télésérie préférée : *Downton Abbey*

Son animal préféré : l'ours polaire

Son sport favori : ex-æquo en hiver : le *snowboard* & le ski de fond ; et en été : le basketball & l'*ultimate frisbee*! Hein!!!

## Samedi 15 janvier

Chaque fois que je me dirige vers la fenêtre du salon pour observer la maison d'en face, je tremble de découvrir, sur la pancarte « À vendre », l'inscription « Vendu ». Mais non, toujours rien. Pourvu que ça dure…

Lulu et Maude ont appelé par Skype tout à l'heure. Ma cousine parlait du nez. Après s'être mouchée, elle a demandé :
– Il y a de la neige, chez vous ?
– Ce n'est pas ça qui manque ! a répondu maman. Hier encore, il en est tombé 15 cm.
– Vous en avez de la chance ! Chez nous, il pleut depuis une semaine.
– Pas étonnant que tu aies attrapé un rhume.
– Tu as raison, tante Astrid. J'ai pris froid le soir où mamie a oublié de venir me chercher.
– Comment ça ?!

Lulu nous a raconté ce qui s'était passé.
– D'habitude, Maude vient me chercher le jeudi après mon entraînement de volley-ball. Mais mercredi, elle m'a prévenue que pour une fois, elle ne pourrait pas être là. Du coup, j'ai demandé à mamie si elle voulait bien venir me prendre, car avec mon sac d'école et mon sac de sport, je suis lourdement chargée. Elle a tout de suite accepté. J'étais contente car j'avais des tas de choses à lui raconter. Et

depuis qu'Esteban est dans le décor, on la voit moins souvent. Mais jeudi, mamie n'était pas au rendez-vous. À 18 h 20, comme elle n'était toujours pas là et que je ne parvenais pas à la joindre sur son portable, je suis partie sous la pluie battante. En arrivant chez nous, j'étais trempée de la tête aux pieds. Résultat : j'ai un rhume carabiné !

Ma tante a dit à son tour :
– Hier, quand j'ai joint maman pour vérifier si elle allait bien, elle s'est soudain rappelé qu'elle s'était engagée à aller chercher sa petite-fille la veille ! Mais comme son bien-aimé l'avait invitée à souper, ça lui était complètement sorti de la tête. Elle était désolée.
– Une vraie grand-mère indigne, comme je l'avais dit l'autre jour ! s'est exclamée moumou. Mais, blague à part, maman s'est toujours occupée de nous. C'est normal qu'elle pense un peu à elle.
– Tu as raison, Astrid !

J'ai demandé à ma cousine et à ma tante :
– Vous l'avez déjà vu, Esteban ?
– En photo seulement.
– Moi, elle m'a promis de m'envoyer des photos d'eux en Espagne, mais elle a oublié de le faire. Il est comment ?
– C'est un bel homme, a répondu ma tante.

Mon autre grand-mère (Francine), qui est amoureuse, elle aussi (de son mari Benoît !), mais n'est pas distraite et se souvient donc de l'existence de sa famille, a appelé quelques minutes plus tard. Elle voulait savoir comment on allait. À mon tour, je lui ai demandé si elle avait des nouvelles du grand voyageur de la famille. C'était le cas. Un peu plus tôt, Alex avait envoyé un courriel de l'aéroport de New Dehli, juste avant d'embarquer dans un autobus à destination de Haridwar.

En raccrochant, j'ai cherché l'Inde sur ma carte du monde et j'ai planté une punaise rouge en plein milieu de cette espèce de losange, bordé au nord par le Pakistan et l'Himalaya, et sur les deux autres côtés par la mer d'Arabie et le golfe du Bengale. Bon, je vais me coucher en rêvant à ce pays lointain. Ça doit être drôlement dépaysant, là-bas. Les odeurs, les saveurs, les couleurs, les gens… tout doit être différent. Un jour, j'aimerais découvrir le monde!

## Dimanche 16 janvier

Ce matin, j'ai voyagé moi aussi, du moins en pensée. Pas aussi loin qu'oncle Alex mais à Paris, où je suis déjà allée deux fois. En réalité, j'étais allongée sur le sofa et je lisais le livre que mamie m'avait offert. Lorsque la Sabine du roman est entrée dans la cathédrale Notre-Dame, j'avais vraiment l'impression d'y être, puisque je l'avais visitée l'été dernier. J'aurais bien aimé que Sabine monte sur les tours de la cathédrale, comme je l'avais fait avec mamie. De là-haut, on voit la tour Eiffel. Mais, découragée par l'interminable file, l'héroïne de *Un jour par la forêt* a changé d'idée. Cette fille de mon âge a repris son errance à travers Paris en attendant l'heure fatidique de la rencontre entre sa mère et sa prof de français… Que de solitude et que de stress, la pauvre! Madame Lemagre la mettra-t-elle à la porte de l'école?

J'ai été tirée de ma lecture par l'arrivée de Caro et de papa. Ils ont enfilé leurs manteaux. Ma chienne, qui sommeillait au pied du divan, s'est levée et a frétillé de la queue. Elle voulait sortir, elle aussi.

– Où allez-vous? leur ai-je demandé.

– Nous allons nous promener dans le quartier, a répondu le paternel.

– Cannelle et moi, on va vous accompagner, ai-je décidé. Attendez-moi deux minutes que je m'ha…

Ma sœur m'a interrompue.

– Cannelle peut venir mais pas toi.

Interloquée, je lui ai demandé pour quelle raison.

– C'est une surprise.

Une bonne surprise, j'espère…

Je ne sais pas ce qu'ils mijotent, ces deux-là, mais en attendant, j'ai trouvé une autre surprise en allant à l'ordi. Non, cher journal, pas un message de Karim… Mais un courriel d'oncle Alex. Je l'ai imprimé et je le colle à la page suivante.

De : Alex Aubry
À : Marc Aubry
Envoyé : le 16 janvier
Objet : Premier matin en Inde

Chers tous,

Bien arrivé à Haridwar, 220 km au nord de New Dehli, après un trajet de six heures dans un autobus ultra-bondé, avec des gens assis les uns sur les autres. Une fois dans ma chambre d'hôtel, j'ai eu la tentation de m'étendre sur le lit. Mais j'ai résisté, sinon, vu mon état de fatigue et le décalage horaire, j'aurais sans doute dormi 24 heures d'affilée. Je me suis dit que je me coucherais plus tôt ce soir et qu'en attendant, j'irais découvrir la ville.

Après avoir loué un vélo dans une ruelle, j'ai débouché au grand soleil sur une place pleine de monde. Ébloui, j'ai voulu freiner, mais le guidon n'était pas muni de freins ! Le temps de réaliser qu'il s'agissait d'une bicyclette avec un moyeu Torpédo (un vieux système où, pour freiner, il faut pédaler à l'envers), il était trop tard et j'ai foncé sur le policier qui faisait la circulation ! Nous sommes tous les deux tombés par terre. En me relevant, je me suis confondu en excuses. Je pensais que le policier serait furieux et me collerait une contravention pour « conduite dangereuse ». Eh bien, pas du tout. Se remettant debout à son tour, il a éclaté de rire. La foule qui nous entourait a trouvé ça très amusant et tous se sont mis à rigoler. Apparemment, c'était la première fois qu'ils assistaient à un pareil spectacle : un touriste incapable de maîtriser un vélo ! En effet, avec mon appareil photo autour du cou, je faisais vraiment « touriste » !

Je me suis rendu sur les bords du Gange, un fleuve sacré qui prend sa source en Himalaya. Pour se purifier le corps et l'âme,

96

chaque hindou doit s'y baigner au moins une fois dans sa vie. Haridwar, ville aux mille temples, est une étape de pèlerinage importante. Les pèlerins qui étaient descendus dans l'eau semblaient heureux mais frigorifiés. Pas étonnant quand on sait que les flots tumultueux arrivent directement des montagnes !

Cette fois, je file au lit. Je vous embrasse tous ! À bientôt,

Alex

De : Alice Aubry
À : Alex Aubry
Envoyé : le 16 janvier
Objet : Un bonjour de ta nièce

Cher oncle Alex,

Je suis contente d'apprendre que tu es bien arrivé à destination. Tu nous racontes tes aventures de façon tellement vivante que j'ai l'impression de voir tout ça devant moi ! Notamment la scène de ta chute en vélo. Heureusement que tu es tombé (c'est le cas de le dire) sur un policier hyper cool et que tu ne t'es pas fait mal. Sans compter ton précieux appareil photo qui ne semble pas avoir été endommagé... Ouf !

J'ai tapé « Haridwar » sur Google et les photos de cette ville et du Gange ont achevé de me mettre dans l'ambiance.

Bon reportage et au plaisir de lire bientôt la suite de tes aventures en Inde !

Alice

Pour en revenir à la rue Isidore-Bottine (à plus de 11 000 km de là où se trouve mon oncle, paraît-il), j'ai attendu toute la journée la surprise de ma sœur mais il ne s'est rien passé (enfin, rien d'anormal). Après le souper et la vaisselle, cependant, j'ai intercepté le clin d'œil qu'elle a adressé à son complice (poupou). Ce dernier a annoncé qu'il allait se promener avec la chienne. C'est alors que Caro m'a dit d'un air mystérieux :

– Viens avec moi dans notre chambre, Alice.

Ouvrant le tiroir de sa table de nuit, elle en a sorti un sac en papier brun qu'elle m'a tendu en disant :
– Cadeau !

Sur le sachet, elle avait dessiné un bonhomme sourire plein de dents munies de broches. Et dedans, il y avait une vingtaine de bonbons, parmi les meilleurs du dépanneur ! Des requins bleus, des bananes jaune fluo, des bonbons recouverts de poudre acidulée, des caramels au yogourt et aux pêches ainsi que deux bagues en plastique surmontées, chacune, de gros « diamants » en bonbon. Elle m'a fait choisir et j'ai pris la rouge. Caroline était fière de me raconter que ces friandises, elle les avait payées avec ses sous à elle. Elle est vraiment généreuse ! Assises au milieu de Nouf-Nouf, Cochonnet, Gudule et compagnie, on a fait une orgie de sucreries. J'ai compris alors pourquoi papa était sorti avec Cannelle : ç'aurait été cruel de se régaler devant elle sans pouvoir lui donner le moindre bonbon.

En suçant son «diamant» orange, Caro a dit:

– Tu en as de la chance!

– De quoi?

– Qu'on te mette des broches, demain.

Ma sœur se moquait de moi ou quoi?!!!

– Pas du tout! a-t-elle protesté quand je lui ai posé la question. Je rêve d'en avoir, moi aussi.

– Mais pourquoi?!

– Parce que ça fait ado. J'ai tellement hâte d'être grande, moi!

Moi (et mes futures broches) vue par ma sœur :

Moi, demain…

– Si je pouvais, Caro, je te céderais volontiers ma place! À mon avis, ça ne doit pas être une partie de plaisir.

– Non, bien entendu, mais que veux-tu, Alice, il faut savoir souffrir pour être belle.

Des fois, cher journal, je me demande d'où elle sort ses idées à la noix de coco…

## Lundi 17 janvier

À la récré, Catherine Frontenac nous a raconté qu'hier soir, elle est allée chercher du lait au dépanneur. Alors qu'elle faisait la file à la caisse, quelqu'un derrière elle a lancé: «Salut, Cath!» C'était Noah Robitaille, son amoureux de l'an dernier! Il n'a pas fait allusion à la fois où ils s'étaient croisés au Salon du livre. Et bien sûr, CF n'a pas pipé mot des conséquences désastreuses que cette rencontre avait eues durant les jours suivants sur son amitié avec Catherine Provencher et sur l'ambiance de la classe. Noah et elle avaient parlé de choses et d'autres. Au moment où ils sortaient du dépanneur, Catherine lui a demandé si ça lui dirait d'aller patiner le week-end prochain au parc Nicolas-Viel. Ils se sont donné rendez-vous là-bas à 14 h. Voilà une affaire rondement menée. J'étais heureuse pour CF et je n'étais pas la seule. CP, qui s'était sentie responsable du fait que sa meilleure amie n'avait pu revoir Noah, cet automne, était soulagée.

*L'amour, prise 2…*

À part ça, c'est l'horreur absolue, cher journal! À 16 h, je me suis retrouvée avec la bouche grande ouverte sur le siège de l'orthodontiste. Elle m'a répété que pendant le temps que durera mon traitement (deux ans, normalement…), je ne pourrai plus mâcher de gommes ni manger de chips, de pop-corn et de bonbons (heureusement que j'en ai bien profité hier, grâce à ma sœur). Pour me consoler, maman m'a signalé qu'au moins, il me resterait le chocolat. C'est vrai mais quand même, j'ai le moral à zéro! Mes dents sont harnachées de broches… Pas moyen d'être discrète: dès que j'ouvre la bouche pour dire quelque chose, je zozote autant que Marie-Capucine. Et comme si ça ne suffisait pas, c'est douloureux.

Après le souper, la douche et la révision de ma leçon d'*engliche*, j'avais besoin de me changer les idées. Avec *Les Zarchinuls*? Pas aujourd'hui. Je veux plutôt terminer *Un jour par la forêt*. Il ne me reste que quelques pages à lire.

20 h 30. Et voilà! Mamie a eu raison de me l'envoyer, ce roman. Je l'ai adoré et je lui écrirai pour le lui dire. Ma vie est beaucoup plus facile que celle de Sabine. Par contre, ma prof d'anglais est pire que madame Lemagre, son enseignante de français. Elle est souvent dans la lune, Sabine. Moi aussi, il m'arrive de rêver en regardant les nuages passer. Et comme elle, dans un nuage, je vois parfois une montagne, un dragon ou un mouton… À mon avis, on s'entendrait bien, toutes les deux. Le hic, c'est que, même si l'auteure la rend incroyablement vivante, Sabine n'existe que dans le livre, pas dans la vraie vie. Bon, j'ai envie de chercher sur Internet le poème de Victor Hugo dont on parle dans l'histoire.

20 h 43. Me revoilà. Il est magnifique, ce poème! Je l'ai même lu tout haut. Je l'ai imprimé pour le coller dans mon cahier. On sent que lorsque le poète l'a composé, son cœur était à la fois rempli d'amour pour sa fille Léopoldine, et de peine de l'avoir perdue. Que c'est triste qu'elle se soit noyée. Elle qui n'avait que 19 ans s'est enfoncée dans la rivière lorsque la barque sur laquelle elle se trouvait a chaviré. Trop triste! J'en ai parlé à papa. Il m'a expliqué qu'à cette époque (le 19ᵉ siècle), peu de gens savaient nager. Et

que lorsqu'on embarquait sur un bateau, on ne portait pas de gilet de sauvetage.

## Demain, dès l'aube...

Demain, dès l'aube, à l'heure où blanchit la campagne,
Je partirai. Vois-tu, je sais que tu m'attends.
J'irai par la forêt, j'irai par la montagne.
Je ne puis demeurer loin de toi plus longtemps.

Je marcherai les yeux fixés sur mes pensées,
Sans rien voir au-dehors, sans entendre aucun bruit,
Seul, inconnu, le dos courbé, les mains croisées,
Triste, et le jour pour moi sera comme la nuit.

Je ne regarderai ni l'or du soir qui tombe,
Ni les voiles au loin descendant vers Harfleur,
Et quand j'arriverai, je mettrai sur ta tombe
Un bouquet de houx vert et de bruyère en fleur.

VICTOR HUGO (1802-1885)

Tiens, j'ai une idée. Demain, j'apporterai mon livre à l'école et je le montrerai à madame Robinson.

20 h 58. Je viens d'aller dire bonsoir à mes parents. Papa, qui se trouvait dans le bureau, m'a signalé qu'il y avait un courriel d'oncle Alex pour moi. Du coup, il m'a cédé sa place à l'ordi pour que je puisse le lire. Le voici :

De : Alex Aubry
À : Alice Aubry
Envoyé : le 17 janvier
Objet : RE : Un bonjour de ta nièce

Chère Alice,

En me réveillant ce matin (après 12 heures de sommeil !), j'ai trouvé ton message. Il m'a fait grand plaisir.

Aujourd'hui, j'ai visité et photographié quelques temples puis j'ai flâné dans le bazar qui occupe plusieurs ruelles. En fin de journée, je suis retourné sur les rives du Gange. En effet, au coucher du soleil, des milliers de personnes se rassemblent sur les marches descendant vers le fleuve pour assister à la cérémonie de l'Aarti. Des marchands vendent de petites corbeilles réalisées en feuilles tressées dans lesquelles ils ont disposé des pétales de fleurs et une bougie. Les pèlerins allument la bougie, déposent leur offrande sur l'eau et la regardent s'éloigner, emportant leur vœu. À la tombée de la nuit, des chants religieux s'élèvent et des prêtres brandissent des flambeaux. Leurs grandes flammes se reflètent dans l'eau. Quel spectacle grandiose !

Bonne semaine, Alice ! Gros bisous d'oncle Alex

## Mardi 18 janvier

Quand Marie-Ève m'a aperçue dans la cour, elle s'est avancée vers moi.

– Et alors ? a-t-elle lancé.

Après avoir levé les yeux au ciel, je lui ai fait un sourire « dentaire », pour lui montrer. Elle s'est exclamée :

– Oh, ma pauvre Alice !

Ce n'était guère encourageant… Après ça, elle s'est reprise en précisant que j'avais bien choisi la couleur de mes « mini-beignets » en caoutchouc (turquoise). J'étais gênée de parler parce que, si je zézaie moins fort qu'hier, je zézaie quand même… Et je postillonne à qui mieux mieux. La pauvre Audrey, qui était venue nous saluer, a dû essuyer les verres de ses lunettes ! Patrick, qui n'en rate jamais une, lui a conseillé d'équiper ses lunettes d'essuie-glaces. Pfff…

Mais les épreuves que je redoutais le plus, c'était :

☹ l'heure du midi. Parce qu'avec mes broches, je mange comme un cochon. Maman avait pourtant prévu quelque chose de mou, une soupe aux légumes et lentilles ainsi que mon yogourt préféré, aux cerises. Mais j'avais beau m'appliquer, la nourriture me dégoulinait sur le menton. Éléonore m'a demandé :

– Dis, Alice, tu le fais exprès de baver, ou quoi ?! C'est vraiment pas ragoûtant…

Répondant à ma place (heureusement, car si j'avais dû me mettre à parler la bouche pleine, alors là, ç'aurait été carrément dégueu), Marie-Ève a expliqué à Miss Parfaite que j'avais des broches depuis hier… Éléonore s'est excusée :

– Oh, désolée, je ne le savais pas.

Elle m'a dit de ne pas m'en faire. Sa cousine avait porté des broches, elle aussi. Au début, c'était l'enfer, mais elle s'y était vite habituée. À tel point que lorsqu'on les lui avait enlevées, ça lui avait semblé bizarre pendant quelques jours. Elle aurait préféré les garder. Ça m'a un peu encouragée.

☹ le cours d'anglais : j'espérais de tout cœur ne pas devoir ouvrir la bouche. Raté ! Crucru m'a interrogée sur la leçon précédente. J'ai réussi à garder mon sang-froid et lui ai répondu du mieux que j'ai pu. Au lieu de me donner la bonne note que, selon moi, je méritais, elle a lâché : « On ne peut pas dire que ton accent se soit amélioré… »

À la fin du cours, après avoir glissé son manuel dans sa serviette de cuir noir, elle a jeté un regard méprisant à Eduardo puis l'a interpellé.

– Quelle idée pour un garçon de porter des cheveux longs ! Ça fait bohémien, pas propre.

– Mes cheveux sont propres ! a protesté Eduardo. Je les lave tous les soirs !

Emma a pris sa défense.

– Vous êtes raciste, madame ! C'est pas parce qu'on est bohémien qu'on est sale !

« Et sexiste aussi, ai-je pensé tout bas. Pourquoi les filles auraient-elles le droit de porter des cheveux longs mais pas les garçons ? »

– De quoi te mêles-tu, toi ?! a lancé Cruella à Emma. Pour t'apprendre la politesse, je vais te donner une punition. Pour la prochaine fois, tu m'écriras 100 fois : *I respect my teacher.*

(Traduction : Je respecte mon enseignante.)

105

Décidément, cher journal, Cruella est PIRE qu'avant son congé. Pitié! J'ai consulté mon agenda afin de calculer le nombre de mardis qu'il nous reste avant la fin de l'année scolaire: 15. Je devrais pouvoir tenir le coup. M'est venue en tête la chanson que moumou chante parfois sous la douche:

Résiste
Prouve que tu existes
Cherche ton bonheur partout, va
Refuse ce monde égoïste
Résiste
Suis ton cœur qui insiste
Ce monde n'est pas le tien, viens
Bats-toi, signe et persiste
Résiste

Du coup, j'ai improvisé une version que j'ai chantée à tue-tête, comme une libération:

Résiste
Prouve que tu existes
Refuse ce prof égoïste
Résiste
Les cours de Cruella, c'est l'enfer
Mais au secondaire, ce sera super
Non, ton accent n'est pas pitoyable
C'est Crucru qui n'est pas aimable
Résiste...

*(Bon, je n'ai aucun avenir comme parolière de chansons, cher journal, mais ça n'a aucune importance.)* Cannelle, qui me regardait avec ses bons yeux aimants, semblait d'accord avec ce que j'exprimais. Reprenant le refrain de plus belle, j'ai eu l'impression que, derrière moi, se massaient des élèves qui, eux aussi, avaient eu la malchance de tomber sur un prof qui ne pouvait pas les supporter. Je m'imaginais marchant dans les rues de Montréal à la tête de centaines, de milliers d'étudiants qui en avaient assez de se faire humilier. Qui, à la suite de cette manif, prendraient leur vie en main et diraient *NON!,* une fois pour toutes, à l'intimidation. Nous, les jeunes, on doit respecter les profs, ça va de soi. Mais eux aussi doivent faire preuve d'un minimum de considération envers leurs élèves qui, comme moi, ne font rien de mal.

~~*Shpoutz un jour, shpoutz toujours*~~ :
*Shpoutz un jour, mais pas deux !*

Caroline a fait irruption dans notre chambre.
– On dirait que tu fais la révolution, Alice ! Que se passe-t-il ?
– Euh, rien.
– Comment ça, rien ?! Je ne te crois pas.
– Je me suis laissé emporter, ai-je lâché. J'étais en rage.
– Contre qui ?
– Un prof.
– Mais lequel, Alice ?! Parle donc !

Ma sœur qui est en adoration devant madame Fattal… je n'allais tout de même pas lui avouer que moi, je la DÉTESTE ROYALEMENT. Mais d'un autre côté, je n'avais pas envie de mentir à Caro. Alors, à regret, j'ai lâché :
– L'enseignante d'anglais.

Abasourdie, Caro est restée un instant sans voix.
– Tu n'aimes plus du tout madame Fattal ?!!!
– En fait, je ne l'ai jamais aimée. Et elle non plus d'ailleurs. Désolée, Caro, mais je n'en peux plus…
J'ai commencé à pleurer.
– Ne t'excuse pas, a dit ma sœur en m'apportant un mouchoir. Explique-moi plutôt ce qui ne va pas.
Puis elle a tassé Betty et cie et m'a invitée à m'asseoir sur son lit.

Comme je restais silencieuse, elle m'a questionnée.
– Ça a commencé quand ?
– En 1$^{re}$ année. Mais maintenant, c'est pire que jamais. L'an dernier, maman a dit un jour à la prof un truc maladroit à propos de son genou opéré. Tu connais moumou et sa distraction… Sauf que madame Fattal l'a très mal pris. En fait, je crois qu'elle a été vexée à mort car depuis, elle m'a prise en grippe.
– Mais qu'est-ce qu'elle te fait ?
Alors, comme quelqu'un qui vide une poubelle qui déborde, j'ai tout déversé pêle-mêle. Le fait que la prof essaye toujours de me prendre en faute, qu'elle se moque de mon accent, que je perds mes moyens en sa présence… J'ai

relaté les anecdotes qui me revenaient à l'esprit. Dont celle du métro, qui m'avait carrément traumatisée.

Caro n'en revenait pas.
– C'est dégoûtant ! s'est-elle indignée. Faire ça à ma sœur ! Madame Fattal a toujours été ma prof préférée, mais avec ce que tu me racontes là, ce n'est plus le cas ! Si j'avais su, je ne l'aurais pas interviewée, hier, pour *L'Écho des Érables*. Elle ne mérite pas d'être populaire !

Populaire… Si tu veux mon avis, cher journal, Crucru n'a JAMAIS été populaire, sauf aux yeux de Caroline Aubry (et d'Éléonore Marquis, qui était sa chouchoute elle aussi, l'an dernier). RIEN ne pourrait rendre cette prof populaire. Pas même une chronique élogieuse dans le mensuel de l'école.

Caroline prenait ma défense très à cœur. C'était vraiment gentil. Mes sentiments à moi étaient mêlés. Je me sentais soulagée de lui avoir dévoilé ce lourd secret. En même temps, j'étais triste d'avoir fait baisser la prof d'anglais dans son estime. Et puis, tout à coup, j'ai eu peur que ma sœur en parle à ses amis, que la chose s'ébruite et parvienne jusqu'aux oreilles de Cruella. Mais Caro a promis juré craché qu'elle n'en dirait mot à personne. Fiou !

Elle m'a encore demandé :
– Pourquoi tu m'as caché ça pendant toutes ces années ?
Bonne question, oui, pourquoi ???
– Tu en as parlé aux parents, au moins ?

109

– Non.

– Comment, Alice?! Tu as gardé tes soucis avec madame Fattal pour toi toute seule?

– Non, rassure-toi! Mes amis sont au courant et ils me soutiennent.

– Heureusement! Mais quand même! Te rappelles-tu ce qui s'est passé quand j'avais avalé mon pendentif par mégarde? Après mon opération, papa et maman nous avaient parlé sérieusement. Ils nous avaient bien dit que si quelque chose de grave nous arrivait, il fallait les mettre au courant. Et ce que madame Fattal te fait subir, c'est grave!

21 h 13. Tout à l'heure, Caroline chérie m'a fait promettre que, si ça continuait comme ça (et il y a toutes les «chances» que ce soit le cas), je confierais mes déboires à poupou & moumou. Puis, on s'est succédé à la douche, on a enfilé notre pyj et on est descendues aider papa à préparer un pâté chinois.

À 20 h, on était assises de part et d'autre de maman dans le grand lit des parents, prêtes pour le début de la 4$^e$ saison de *Samantha et ses colocs*! Elle a démarré sur les chapeaux de roue. Plus le temps de te raconter les détails, cher journal, mais Samantha et Mélodie ont mis une annonce à l'université pour trouver deux nouveaux colocs. À suivre...

# Mercredi 19 janvier

Ce matin, après que la cloche a sonné, Gigi Foster et moi on s'est retrouvées en même temps devant la porte de l'école. Elle m'a dit :

– Tu as l'air pressée alors vas-y, Schtroumpfette !

– Pourquoi tu m'appelles comme ça ?!

– Parce qu'avec tes broches bleues, ça te donne un look de Schtroumpfette.

Derrière nous, Chloé s'est esclaffée.

J'ai serré les poings. D'abord, les minuscules «beignets» élastiques qui maintiennent le fil orthodontique en place dans mes broches ne sont pas bleus mais turquoise. Et puis… moi qui étais fière de mon choix de couleur, je me suis soudain sentie ridicule. Décidément, cette fille ne rate jamais une occasion d'être méchante avec moi ! Bref, j'ai vite rejoint Marie-Ève qui m'attendait dans le couloir.

Tandis qu'on montait l'escalier, ma *best* m'a confié que Simon lui avait envoyé des textos pour la première fois, la veille. Je m'apprêtais à lui dire que c'était vraiment cool quand, dans le brouhaha ambiant, j'ai entendu Chloé s'exclamer :

– Ça y est ?! Et vous déménagez quand ?

J'ai dressé l'oreille. JJF a expliqué :

– Ma mère et mon beau-père ont rendez-vous chez le notaire vendredi de la semaine prochaine. Et c'est le 2 avril qu'on emménagera dans notre nouvelle maison.

Même si je savais que ça me pendait au nez, la nouvelle m'a sonnée. Oh non!!! Moi qui imaginais que, une fois terminée ma 6ᵉ année à l'école des Érables, je serais débarrassée à tout jamais de Gigi Foster, c'est raté! Horreur absolue… Le souffle court, j'ai peiné à monter les dernières marches menant au 3ᵉ étage.

– Qu'est-ce que tu en penses? m'a demandé Marie-Ève, qui venait de me résumer les messages de Simon.

Comme je tardais à lui répondre, elle s'est tournée vers moi.

– Mais tu es toute pâle, Alice! Tu ne vas tout de même pas tomber dans les pommes?!

– Non, non, l'ai-je rassurée. Mais je me sens faible, tout à coup.

– Viens, allons aux toilettes! Ça te fera du bien de te passer le visage sous l'eau froide.

Dans la salle des toilettes, on était les seules. J'ai répété à Marie la conversation que j'avais surprise.

– Quelle malchance! a-t-elle lancé, atterrée elle aussi.

Puis, se reprenant, elle a ajouté:

– Es-tu sûre, Alice, qu'il s'agit de la maison en face de chez toi? La mère de Gigi et son conjoint en ont certainement visité d'autres.

– Oui, sans doute. Mais le 45, rue Isidore-Bottine, ils l'ont visité au moins deux fois…

– Dans ce cas…, a soupiré Marie-Ève sans terminer sa phrase.

Moi, j'ai aspergé mon visage d'eau froide et je l'ai essuyé. Physiquement, je me sentais mieux mais j'avais le moral à zéro.

Ce midi, on se dirigeait vers la cafétéria quand Audrey s'est adressée à Gigi Foster.

– Tu vas bientôt déménager, Gigi ?

– Oui, début avril.

– Où ça ?

– Rue Saint-Firmin.

– C'est où ?

– À l'est de l'avenue Papineau.

Hein… Je me suis pincée. Mais non, je ne rêvais pas. Les Foster ne s'installeront pas dans ma rue ni même dans mon quartier ! Mon vœu s'est réalisé. J'ai dû me retenir pour ne pas sauter de joie en criant : « Youpiiiiiiiiiiiiiii !!!!!!!!!!! » Si tu savais comme je me sens soulagée, cher journal. La vie est belle !

## Jeudi 20 janvier

Aujourd'hui, c'est l'anniversaire de notre chère grand-maman Francine. Pour l'occasion, mes parents les ont invités chez nous ce week-end, elle et grand-papa. Ils arriveront demain soir et samedi, on ira faire de la raquette.

## Vendredi 21 janvier

Cet après-midi, ça puait dans la classe… J'ai demandé si on pouvait ouvrir la fenêtre pour avoir un peu d'air frais.

– Par –20 ° C, il n'en est pas question, m'a répondu madame Robinson. Je vais plutôt ouvrir la porte.

Madame Pescador avait dû faire de même car, du couloir, nous parvenait l'animation qui régnait dans sa classe. On l'a entendue féliciter ses élèves.

– Bravo, vous avez bien travaillé cette semaine!

Et, d'une seule voix, les 6ᵉ A ont lancé leur cri d'équipe:

– A comme audacieux! A comme astucieux! A comme ambitieux!


– Nous aussi, on devrait avoir un cri d'équipe, a proposé Catherine Provencher.

– C'est vrai! a renchéri Stanley.

On était tous d'accord et notre enseignante nous a pris au mot.

– Écoutez, il nous reste 20 minutes avant la fin de la journée. Formez des petits groupes et réfléchissez ensemble à un cri d'équipe avec la lettre B, comme dans 6ᵉ B. D'ici un quart d'heure, je demanderai à un représentant de chaque équipe de venir écrire sa proposition au tableau. Ensuite, nous passerons au vote. Ça vous va?

Kelly-Ann a bien raison, cher journal. Des fois, madame Robinson est super cool.

Justement, en parlant de K-A, c'est son cri d'équipe (et celui d'Africa, Emma & Bohumil) qui a remporté tous les suffrages :

B comme bons !
B comme braves !
B comme brillants !

Papa est venu nous chercher à l'aréna, Caroline et moi. Nos grands-parents sont arrivés peu après à la maison. Maman préparait son rôti aux pommes de terre rissolées et au romarin. Elle venait d'enfourner son plat quand Caro a demandé sans ménagement :

– C'est quoi comme viande ?

– Du rôti.

– Du rôti de quoi ?

– Du rôti de porc.

– Oui, mais du porc, c'est du cochon ! s'est écriée ma sœur d'un air horrifié. Maman, tu es une criminelle !

– Voyons Caroline, tu exagères. Tu as toujours adoré cette recette.

Et, tentant de détourner la conversation, elle a ajouté :

– J'ai pensé à toi, en rentrant du travail. Je n'ai pas oublié de te ramener une bouteille de ketchup.

– Merci maman, mais je REFUSE de manger du cochon ! Si ça continue, je vais devenir musulmane, comme Nour !

## Samedi 22 janvier

**Balade en raquettes au parc régional de Val-David–Val-Morin!**

Le chemin de neige grimpait quasiment à pic parmi les arbres puis redescendait avant de remonter… Vers la fin du parcours, on est passés devant une spectaculaire cascade de glace. On a mangé dans une crêperie de Val-David avant de rentrer au bercail. Miam!

## Lundi 24 janvier

Quand la cloche de la récré a sonné, on s'est tous dirigés vers la porte mais madame Robinson m'a appelée. En me rendant *Un jour par la forêt*, elle m'a chaleureusement remerciée de lui avoir fait connaître cette belle histoire. Elle a ajouté que, si je voulais, elle me prêterait une série de romans qui me plairaient certainement.

– Le premier volume s'intitule *Les allumettes suédoises*, a poursuivi ma prof. Il raconte la belle histoire d'Olivier, un orphelin de 10-11 ans qui vit à Montmartre. Dans le deuxième volume (*Les sucettes à la menthe*), il déménage dans un autre quartier de Paris chez son oncle et sa tante qui l'ont adopté. Le troisième volume, *Les noisettes sauvages*, est mon préféré! On y retrouve Olivier en vacances à la campagne, chez son pépé et sa mémé…

Quand madame Robinson commence à parler de livres, cher journal, elle est intarissable. Moi, je me tortillais sur place car, depuis la dictée, j'avais une envie pipi et ça devenait pressant. Et puis, je voulais rejoindre les autres dans la cour pour profiter de la récré. Mon enseignante était super gentille de vouloir partager avec moi ses lectures coup de cœur. Cependant, si j'acceptais, j'avais peur qu'elle ne m'inonde de romans du siècle dernier que je me sentirais obligée de lire... En plus, avec tout le travail scolaire qu'elle nous donne, mon journal intime et maintenant mon *scrapbook*, il ne me reste que peu de temps pour bouquiner.

Heureusement, j'ai trouvé une bonne excuse. Je lui ai dit que j'avais repéré plusieurs livres de notre bibliothèque de classe qui m'intéressaient (ce qui était vrai). Je commencerais d'abord par eux. Ensuite, si j'avais le temps, je lui demanderais de me passer l'histoire d'Olivier. Madame Robinson n'a pas paru déçue. Bien au contraire, elle qui est fière de notre bibliothèque, se montre toujours enthousiaste quand ses élèves empruntent des livres. C'est ce que j'ai fait. J'ai pris *La dernière petite enveloppe bleue*, la suite de *Treize petites enveloppes bleues*.

La prof nous a distribué nos contrôles de maths. Elle trouvait qu'on avait tous bien travaillé. Du coup, Gigi Foster a lancé :
– B comme bons !
On a poursuivi en chœur :
– B comme braves ! B comme brillants !

Cet après-midi, à l'heure de la récré, on est sortis de la classe. Les 6ᵉ A enfilaient leurs habits de neige devant leurs casiers. Se tournant vers nous avec un sourire narquois, le costaud et surtout très nuisible Antoine Gaudet s'est écrié :

– B comme banals ! B comme bagarreurs ! B comme bruyants !

Du tac au tac, Patrick a riposté :

– A comme abrutis ! A comme analphabètes ! A comme argneux !

– Hargneux commence par un h, espèce d'âne !

– T'as quoi contre les ânes ?! me suis-je insurgée.

Sans me porter la moindre attention, Antoine nous a jeté par la tête :

– B comme bêtes ! B comme bébés ! B comme bornés ! B comme bande de copieurs ! B comme bipolaires !

Et devant notre mine atterrée, il a ricané.

– Bipolaire toi-même ! a lancé Jonathan.

– Toi le Ritalin, on ne t'a pas demandé ton avis.

Joey s'est élancé, il a saisi Antoine par le devant de son manteau et si madame Robinson ne l'avait attrapé au vol, je crois bien qu'il aurait balancé son ennemi juré direct dans son casier ! La voix vibrante d'indignation, madame Pescador a crié :

– Arrêtez !

– Tu le sais bien, pourtant, Jonathan, qu'il est interdit de faire preuve de violence ! a dit madame Robinson. On n'agrippe pas quelqu'un par ses vêtements, on ne le pousse pas, on ne le frappe pas. Tu aurais pu blesser Antoine !

Puis elle s'est adressée à ce dernier :

– Et toi, Antoine, ce n'est pas malin d'avoir commencé ! Ton attitude manque vraiment de respect envers notre classe.

Antoine avait baissé la tête et prenait un air d'enfant de chœur. Quel hypocrite, celui-là ! Hugo a déclaré :
– Ben nous, les 6ᵉ B, on ne veut être ni bagarreurs ni belliqueux !

Il avait bien raison. Après la guerre entre les Catherine, cet automne, pas question d'endurer un nouveau conflit du style : les A contre les B ! Prise d'une inspiration subite, j'ai lancé :
– A comme Amis ! B comme Bienveillants !

Chloé a pouffé de rire et Patrick, qui se trouvait à côté de moi, a marmonné : « T comme têteux. » Par contre, Petrus s'est écrié : « A comme Alice Aubry ! » Simon et Billie ont applaudi, suivis de plusieurs autres.

Les enseignantes nous ont donné un devoir supplémentaire pour demain : établir une liste de 10 adjectifs positifs commençant par A. Et les élèves de 6ᵉ A ont hérité du même pensum, mais avec la lettre B. Pfff… Comme si on n'avait pas assez de boulot…

Quand je suis rentrée de l'école, Cannelle est venue me saluer, comme toujours. Mais j'ai eu la surprise de trouver maman sur le tapis du salon. Aussi immobile qu'une statue. Pas debout ni étendue par terre mais dans une position pour le moins inhabituelle. Comment t'expliquer, cher journal? Elle s'était couchée à plat ventre et, la tête bien relevée, elle se tenait dressée sur ses bras tendus. Bizarre…

– Qu'est-ce que tu fais là?! lui ai-je demandé.

– Je fais le cobra.

– Le cobra?!!!

– Il s'agit d'une position de yoga qui aide à soulager la fatigue et le stress.

Puis, se relevant, elle est venue m'embrasser.

– Bonjour Alice! Comment s'est passée ta journée?

– Ma journée, bof…

Moi aussi, cher journal, je devrais me mettre au yoga pour retrouver ma zénitude après une fin de journée stressante comme celle-ci. Ou le mardi, après l'épreuve du cours d'anglais… ALICE LE COBRA!

## Mardi 25 janvier

Autant je trouve mignon le *tic tic tic* des griffes de ma chienne sur le carrelage de la cuisine, autant le **tic-tic-tic-tic-tic** agressif des talons aiguilles de Cruella se dirigeant vers notre classe a le don de me hérisser. Au moins, quand elle est arrivée cet après-midi, je pensais qu'elle me laisserait tranquille. Elle ne m'interrogerait pas vu qu'elle l'avait déjà fait la semaine dernière. Sans nous dire bonjour, elle nous a donné l'ordre d'ouvrir notre manuel d'anglais à la page 80.

– Eduardo, tu commences à lire…

Pour la lecture des paragraphes suivants, elle a désigné Violette, Bohumil et Gigi Foster.

Ensuite, elle s'est dirigée vers ma rangée et s'est arrêtée à côté de moi! Zut! Elle m'a demandé de résumer l'histoire. Paniquée, je suis parvenue à énoncer deux phrases basiques plus ou moins correctes:

– *It's a story about two boys… They are lost in the forest.*

La prof s'est mise à se tourner les pouces. Le sourire en coin, elle m'a dit:

– J'attends la suite…

– *The night is…*

J'essayais de me rappeler comment dire en anglais: «La nuit tombe. Jasper et Angus ont peur.» Mais avec les yeux noirs de ma prof rivés aux miens, impossible de me concentrer. C'est alors qu'elle s'est exclamée:

– Alice Aubry, cesse de me fixer ainsi. On dirait que tu cherches à m'hypnotiser! Arrête ça immédiatement!

Ahurie, j'ai protesté:

– Mais je ne vous hypnotise pas!

– Taratata! J'ai deviné ton petit jeu, ma fille… Je t'ordonne de baisser ton regard!

Derrière moi, la voix d'Emma s'est élevée, très calme.

– Alice, tourne-toi vers Marie-Ève.

– Quoi?! s'est exclamée ma tortionnaire.

Emma a expliqué :

– Mes parents m'ont appris qu'il était impoli de ne pas regarder une personne dans les yeux quand elle vous parle. Vous ne voulez plus qu'Alice vous regarde, madame ? Elle ne va tout de même pas fixer vos pieds ! Alors, la seule solution est qu'elle vous tourne le dos. Ou qu'elle ferme carrément les yeux. Voilà.

– C'est toi qui es impolie, a sifflé madame Fattal. Insolente, même. Non mais, quelle impudence ! Répondre ainsi à ton enseignante… Aujourd'hui, les jeunes se croient tout permis ! Excuse-toi immédiatement !

– Impossible.

Cruella est devenue écarlate. Elle qui n'a pas l'habitude qu'on lui résiste a rugi :

– Comment ça ?!

– Si je vous présentais mes excuses, madame, je mentirais. Et ça aussi, c'est contre les principes de mes parents. En vérité, je ne regrette pas ce que j'ai dit. Je le pensais vraiment.

– Ton compte est bon, ma fille ! Cette fois, je t'amène chez le directeur. On verra bien qui de nous deux est la plus forte !

*Voilà qu'Emma Shapiro est ma sœur ! Puisque Crucru a deux « filles », maintenant !*

***Tic-tic-tic-tic-tic.*** Arrivant à la hauteur d'Emma, Pétula Fattal a saisi cette dernière par le bras.

– Aïe! Lâchez-moi, madame! Je vous suis, pas de problème.

Pauvre Emma, qui avait dû sentir les longs ongles manucurés s'enfoncer dans son bras (je sais de quoi je parle, ça m'est déjà arrivé…). Et, quand j'y pense, elle était punie pour avoir pris ma défense! Quant au pauvre monsieur Rivet, je le plains, lui aussi. Moi, Cruella semblait m'avoir oubliée, mais j'imaginais que je ne perdais rien pour attendre.

À la fin de la journée, on descendait l'escalier quand Patrick m'a interpellée:

– Génial, ton pouvoir hypnotisant, Alice! Tu devrais l'utiliser à chaque début de cours. Comme ça, Fatalité ronflerait sur son bureau et nous, on aurait la paix.

Je n'ai pas fait attention à ses niaiseries (ou plutôt ses patrickeries). Mais au fond de moi, j'étais sens dessus dessous. Quand même, m'accuser de l'hypnotiser… n'importe quoi! Si Caro savait ça. Je n'ai pas pu le lui raconter sur le chemin du retour car il était prévu qu'après l'école, elle s'en irait directement chez Jessica.

Le stress m'avait donné un mal de tête. Mais le mardi, pas question de traîner. En arrivant à la maison, j'ai pris une collation et j'en ai offert une à Cannelle. J'ai étudié ma leçon sur l'Égypte au temps des pharaons et j'ai fait mes deux devoirs de maths. Papa est arrivé avec Zoé. Il a commencé à préparer le souper. Ensuite, je me suis dépêchée de t'écrire, cher journal. Bon, il me reste encore quelques minutes avant d'aller mettre la table. Histoire de me détendre un peu, je vais aller à l'ordi.

18 h 13. Je venais à peine d'ouvrir lola-falbala.com lorsque ma mère a débarqué dans le bureau, un dossier à la main.

– Ah, Alice, tu es là ! Tu as passé une bonne journée ?

Sans quitter le blogue des yeux, j'ai répondu :

– B'jour m'man. Oui, et toi ?

– Une grosse journée qui s'est terminée plus tard que prévu. Du coup, je n'ai pas pu me rendre au yoga. Oh, ne me dis pas que depuis que tu es rentrée de l'école, tu es sur le site de Lola Fattal ?! Ça t'hypnotise vraiment, ce truc-là !

FATTAL !!! HYPNOTISER !!! J'ai failli exploser ! Mais Astrid Vermeulen avait déjà quitté le bureau et papa nous appelait à table.

20 h 36. Avant de regarder mon émission préférée, je broyais du noir. Mais après *Samantha,* je vois de nouveau la vie en rose ! Et mon mal de tête a disparu comme par miracle. Ma télésérie du mardi soir constitue un antidote efficace contre la méchanceté de Pétula Fattal… mais aussi contre les distractions à répétition d'Astrid Vermeulen. Bon, je file sous la douche.

20 h 57. Une fois ma toilette expédiée, je suis allée embrasser mes parents. Maman faisait un peu de yoga pour se détendre avant de se coucher. Après la position de la chandelle, elle a enchaîné avec celle du cobra. Tilt ! Si ma mère est un cobra, cher journal, voilà sans doute d'où me vient mon fameux « pouvoir hypnotisant » ! Hi, hi, hi…

Telle mère cobra, telle fille cobra !

## Mercredi 26 janvier

Lorsque je suis sortie de l'école (sans Caroline une fois de plus, car le mercredi, elle part à la piscine avec son ami Arthur et la mère de celui-ci), un vent glacial m'a coupé le souffle. Il tombait de fins flocons qui piquaient désagréablement le visage. Des jours comme aujourd'hui, j'envie ceux dont les parents viennent les prendre en auto. Je venais à peine d'avoir cette pensée quand papa s'est matérialisé devant moi. Hein!!!

– Bonjour Alice! J'ai trouvé une place de stationnement derrière le coin. Allons-y!

Oh, comme c'était gentil! J'ai embrassé mon sauveur et me suis élancée derrière lui, courbée pour mieux lutter contre les éléments.

– Comment ça se fait que tu n'es pas au bureau? ai-je crié pour me faire entendre.

– J'ai obtenu un après-midi de récupération. Après avoir mangé à la friterie du quartier (si sa diététiste de femme savait ça! Hi, hi, hi…), j'ai fait une bonne sieste (un autre secret entre nous!). Mais vu ce qu'ils annonçaient à la météo, j'avais mis mon réveil pour venir te chercher. *J'aime mon poupou!*

On venait de tourner le coin quand j'ai entendu BOUM. Pas un gros BOUM! qui fait sursauter. Ni un petit BOUM qui se serait perdu dans les rafales du vent. Juste un

BOUM ordinaire. Je n'y aurais pas prêté attention si je n'avais remarqué une Coccinelle bleue manœuvrant maladroitement pour sortir de son stationnement. Après avoir cogné la voiture couverte de neige qui se trouvait devant elle, elle a reculé et REBOUM, elle a tamponné notre fourgonnette, puis RE-REBOUM sur le pare-chocs de la voiture blanche…

– Non mais, je vais lui dire ma façon de penser, à cette conductrice du dimanche! s'est exclamé mon père en s'élançant vers la portière de l'auto bleue.

Affolée, je l'ai retenu par le bras.

– Papa, c'est madame Fattal! Je t'en supplie, fais semblant de rien!

Trop occupée à manœuvrer, Cruella ne nous avait pas vus. D'un dernier coup de volant, elle a dégagé son auto qui s'est éloignée dans la rue enneigée. Quand papa a constaté la micro-égratignure sur le pare-chocs de *SA* fourgonnette, il s'est mis à râler. Il faut dire qu'il considère notre véhicule comme la prunelle de ses yeux. Mais moi, j'étais soulagée. Je l'avais échappé belle! Encore que j'imagine mal comment la situation que je vis au cours d'anglais pourrait empirer.

21 h 06. Je viens de regarder par la fenêtre. Dehors, il y a un véritable blizzard. Le vent gémit, il se lamente, il hurle, il hulule. Mais dans ma maison, on est bien au chaud. C'est une tanière où il fait bon vivre. Je sens que je vais dormir comme un loir. Bonne nuit, cher journal!

## Vendredi 28 janvier

Fin d'après-midi à l'aréna. Je patinais avec Africa et Kelly-Ann quand cette dernière m'a demandé si j'avais déjà reçu mon magazine en anglais.

– Pas encore.

– Moi non plus mais j'ai hâte.

– Tu t'es abonnée ?

– Oui, ça avait l'air bien et je désire améliorer mon anglais. Au secondaire, j'ai été sélectionnée pour le programme enrichi. J'espère obtenir des super notes.

Moi, on m'a mis en anglais régulier. Mais j'ai quand même envie de faire comme Kelly-Ann et devenir bonne en anglais.

– En parlant d'anglais, a repris Kelly-Ann, la prof était une fois de plus déchaînée, mardi. On dirait qu'elle mange de la vache enragée…

– C'est vrai, a renchéri Africa, Fatalité t'a de nouveau dans le colimateur, Alice. Comme si tu cherchais à l'hypnotiser ! Elle est complètement folle !

– Je ne m'y attendais pas, à celle-là, ai-je avoué. Sur le coup, j'étais paniquée. Je ne savais plus où regarder. Sans compter que c'est vraiment humiliant de se faire dire une affaire pareille devant la classe. Tout le monde me dévisageait…

– J'étais sur le point de prendre ta défense, a dit Afri, mais Emma m'a devancée.

– Oui, la pauvre… Elle s'est fait punir à cause de moi.

– Écoute, si ça arrive encore, il faudra prévenir monsieur Rivet. D'ailleurs, je ne comprends pas comment ça se fait qu'il garde une prof pareille !

– Je suppose qu'il attend que madame Fattal prenne sa retraite.

La retraite de Crucru… Et dire que nous, on n'en profitera pas.


## Samedi 29 janvier

Ce soir, j'ai accepté de regarder *Les Aristochats* avec Caro.

*Ma sœur me fait sourire, cher journal. Elle qui a tellement hâte de devenir ado, elle est toujours captivée par les films de Walt Disney. Moi, quand je suis seule ou avec mes amis, ce n'est pas ça que je regarde, mais j'avoue que c'est agréable de les revoir de temps en temps en sa compagnie.*

J'adore ce cher Thomas O'Malley. En passant, ce n'est pas Duchesse, Marie, Berlioz et Toulouse que je voudrais expédier à Tombouctou, moi, mais Crucru !

# Dimanche 30 janvier

Ce matin, Caroline et moi, on a travaillé chacune sur notre *scrapbook*. Et cet après-midi, je suis passée prendre le *MégaStar* au dépanneur. Tandis que je commençais à feuilleter l'unique exemplaire restant, un employé s'est approché de moi, les bras chargés d'une pile de magazines.

– Si tu veux le tout nouveau *MégaStar*, le voici !

Et il me l'a tendu. La couverture annonçait :

**Lola Falbala et Kevin Esposito : idylle à New York !**

Wow ! On y voyait la star du pop et l'acteur fétiche d'Hollywood qui marchaient côte à côte dans la rue. Non seulement ils ne posaient pas, mais on aurait dit qu'ils ne savaient même pas qu'on les prenait en photo. En fait, s'il n'y avait pas eu le gros titre *scoop*, jamais je n'aurais reconnu les deux vedettes car elles portaient des lunettes noires (celles de Lola étaient d'ailleurs très grandes et celles de Kevin de style aviateur). Lola Falbala était vêtue d'un manteau d'hiver blanc avec un capuchon bordé de fourrure. Et Kevin Esposito était coiffé d'une chapka russe en fourrure grise.

Après avoir payé le magazine, je suis vite rentrée à la maison pour me plonger dans la lecture de l'article. À l'intérieur du magazine, il y avait d'autres photos avec Lola et Kevin, souvent de dos, qui s'arrêtaient devant les vitrines des boutiques de luxe. Et aussi un cliché flou où ils s'embrassaient.

En guise d'article, il n'y avait qu'une demi-page. Qui ne nous apprenait pas grand-chose de plus à part que le paparazzi Joshua Wolf qui a réussi ce coup d'éclat est un photographe new-yorkais de 24 ans qui traque les stars avec son appareil photo et son scooter. Prévenu par un de ses amis que Lola Falbala & Kevin Esposito étaient sortis par la porte arrière d'un resto mexicain, près de Times Square, avant de s'engouffrer dans un taxi, le photographe avait réussi à les retracer alors qu'ils descendaient du taxi sur la 5e Avenue. Les suivant discrètement à pied pendant plus d'une heure, il a pu les photographier à leur insu. Lorsque Lola & Kevin entraient dans un magasin, il les attendait patiemment à l'extérieur, à quelques mètres de là, puis, lorsqu'ils ressortaient avec des sacs contenant leurs achats, il reprenait sa filature. L'article concluait : « Voilà la relation amoureuse de deux des plus grandes vedettes de notre époque révélée maintenant au monde entier, puisque plusieurs journaux et magazines ont acheté ces photos. » À suivre…

Je me suis demandé comment Lola Falbala & Kevin Esposito allaient réagir… C'est leur vie privée, après tout. TILT ! Lola en parlait peut-être sur son blogue, on ne sait jamais. Eh oui, elle avait déjà réagi à la publication des photos !!! Elle explique que Kevin et elle se sont rencontrés au mois d'août, en vue du tournage de la comédie romantique dans laquelle ils devaient incarner respectivement un musicien de jazz et une journaliste qui tombent éperdument amoureux l'un de l'autre. En fait, ça fait des années que Kevin Esposito est son acteur préféré. Quant à lui, il est un fan inconditionnel de Lola Falbala depuis ses débuts. Il était d'ailleurs venu la voir à son tout premier concert à Los Angeles.

Lola avoue qu'ils n'ont aucune difficulté à jouer une passion naissante devant les caméras puisque, pour eux, c'était naturel. Ils étaient irrésistiblement attirés l'un vers l'autre. En effet, dès l'instant où Kevin Esposito avait plongé ses yeux sombres dans les siens, elle était tombée sous son charme. Ils ont usé de ruses incroyables pour garder leur relation secrète jusqu'à la fin du tournage. Mission accomplie!

Sauf que ce fameux jour où Joshua Wolf les a pris en photo, pour une fois, Lola n'avait pas cru nécessaire de mettre son déguisement «anti-paparazzi». Elle pensait qu'avec ses lunettes et son capuchon, elle passerait incognito. Raté. Kevin & elle font contre mauvaise fortune bon cœur. Aujourd'hui, plus amoureux que jamais, ils sont fiers d'annoncer leur idylle au grand jour.

*Le grand amour!*

## Lundi 31 janvier

En rentrant de l'école, j'ai trouvé le premier numéro de mon abonnement au magazine *NYC*! Après avoir terminé mes devoirs et étudié ma leçon d'anglais, je l'ai feuilleté. On n'y parlait pas de Kevin & Lola mais décidément, ça a l'air vraiment cool, New York! Je n'ai pas lu d'articles car le niveau d'anglais est trop élevé pour moi.

Mais j'ai réussi à déchiffrer quelques légendes de photos. C'est déjà un début.

## Mardi 1ᵉʳ février

Au beau milieu de la nuit, j'ai été réveillée par des cris perçants. Zoé devait faire un cauchemar. J'ai entendu la porte de la chambre de mes parents s'ouvrir. Puis, la lumière du corridor s'est allumée (un rai de lumière s'était glissé sous notre porte) et quelqu'un a dévalé l'escalier. Cannelle s'est mise à aboyer. Maman a débarqué dans le couloir en s'exclamant :
– Mais que fais-tu donc, Marc ?!
Mon père a crié :
– Au voleur !
Puis on a entendu des crissements de pneus dans la rue. Hein !!! Caro, Cannelle et moi, nous nous sommes précipitées hors de notre chambre au moment où maman sortait de celle de Zoé avec sa Prunelle en larmes dans les bras. Quelle pagaille !

Papa est apparu en bas de l'escalier. Levant la tête vers nous qui nous trouvions en haut, il nous a fourni des explications.
– À l'instant où je sortais de la chambre pour voir ce qui n'allait pas avec le Bichon, j'ai vu une ombre dans la cuisine.
– Une ombre ! a répété maman.
Mon père a poursuivi :

– Elle a disparu dans le vestibule. La porte d'entrée était grande ouverte et j'ai aperçu une silhouette qui s'enfuyait dans la rue. L'homme a sauté dans une voiture noire stationnée devant chez les Banville, et le complice qui devait l'attendre a démarré en trombe. Malheureusement, je n'ai pas pu voir la plaque d'immatriculation. Astrid, s'il te plaît, enferme-toi avec les filles dans notre chambre. Moi, je vais allumer toutes les lumières et inspecter la maison de fond en comble. Je veux m'assurer qu'il n'y a pas d'autre individu dissimulé quelque part.

– D'accord, a chuchoté maman. Mais sois prudent, Marc. Va chercher le rouleau à pâtisserie dans la cuisine, au cas où… Et appelle la police.

On s'est retranchées dans la chambre de mes parents. Caro et moi, on écoutait à la porte, le cœur battant. Et si papa se faisait attaquer?! Ou pire, s'il n'avait pas le temps d'assommer son assaillant avec le rouleau à tarte et qu'il se faisait tirer dessus?!!! Heureusement, avant que mon imagination fertile ne se représente d'autres issues dramatiques, le vaillant poupou a lancé:

– Tout va bien, les filles.

– Tu as regardé en dessous du lit de la chambre d'amis? lui ai-je demandé après avoir ouvert la porte.

– Oui, Alice, sois tranquille. Et même dans les garde-robes.

La sonnette de la maison a retenti. Cannelle a recommencé à japper et j'ai foncé à la fenêtre de la chambre de mes parents. La nuit était zébrée par les lumières rouges et bleues d'un gyrophare qui tournait silencieusement au-dessus d'une voiture. La police! On s'est tous installés au salon. Papa, dont les genoux servaient d'oreiller à Caroline, a répété son histoire. Même s'il avait déjà tout vérifié, les policiers ont quand même passé la maison au peigne fin avec lui. L'ordinateur était à sa place. Les seules choses que le cambrioleur avait réussi à emporter dans sa fuite étaient :

☹ le tout nouveau téléphone intelligent de papa. (Mais comme il travaille dans une société qui vend des téléphones, ça ne pose pas de problème. Il en obtiendra un autre. Et l'avantage, c'est qu'il n'avait pas encore eu le temps d'introduire ses données dans l'appareil volé.)

☹ son portefeuille qu'il avait laissé sur le comptoir de la cuisine. Papa se rappelait qu'il ne lui restait qu'un billet de 20 $. Mais ses cartes (Visa, la carte d'assurance-maladie, le permis de conduire, etc.) avaient disparu.

– Si je comprends bien, a récapitulé la policière, ce sont les cris de votre bébé qui ont fait fuir le cambrioleur.

– Oui, a reconnu papa. Ça fait longtemps que je songe à installer un système d'alarme. Cette fois…

Maman lui a coupé la parole :

– Pas besoin de système d'alarme, chéri. On a un chien !

Balayant l'argument de moumou, le chéri a rétorqué :

– Si Zoé ne nous avait pas réveillés, Cannelle aurait certainement continué à roupiller. Le cambrioleur aurait poursuivi ses recherches en toute impunité. Et il serait sans doute parti avec l'ordinateur et ta sacoche.

– De plus, on ne sait pas si cet homme était armé, a ajouté la policière.

Papa a raison, cher journal : notre brave Cannelle n'a rien d'un chien de garde. D'accord, elle aboie quand quelqu'un sonne. Mais un cambrioleur, en général, ne s'annonce pas par un coup de sonnette. Et il suffit qu'on offre une poignée de Crocolatos à ma chienne ou qu'on la gratte derrière les oreilles en lui parlant gentiment pour qu'elle considère la personne qui débarque chez nous comme un ami de la famille. Leçon à tirer : ne pas compter sur elle pour éloigner les vilains voleurs ! Nos voisins Pierre et Michael n'ont pas de chien, eux, mais ils me semblent mieux protégés que nous contre les visiteurs indésirables. Si un malfaiteur avait la mauvaise idée de s'aventurer au 40, rue Isidore-Bottine, leur chat lui sauterait dessus et lui planterait ses griffes aussi acérées que des poignards dans le dos, comme le fait Thomas O'Malley avec l'affreux Edgar. Même si Sushi est maintenant devenu mon ami, mes cuisses se souviennent encore de ses griffes…

Cannelle,
chien de garde

Rex,
chien de garde

Astrid Vermeulen, qui a de la suite dans les idées, a suggéré :

– On pourrait toujours apposer une pancarte « Attention, chien méchant ! » sur la porte d'entrée.

Considérant notre brave Cannelle qui sommeillait sur le plancher, un œil à demi-ouvert, la policière a dit :

– Rien ne vous en empêche, madame. Mais à mon avis, ça ne suffit pas. Le nombre de cambriolages est en hausse dans le quartier. Monsieur a raison. Si j'étais vous, je ferais installer au plus vite une serrure fiable et un système d'alarme. Sinon, votre voleur qui n'a pas eu le temps d'écumer la maison risque de revenir faire un tour, un de ces jours.

Maman a dû s'incliner. Papa, lui, a déclaré qu'il prendrait congé aujourd'hui pour aller visiter des magasins spécialisés. Mais ce qu'il n'a pas dit, c'est qu'il en profiterait aussi pour faire une sieste.

Lorsqu'on est rentrés de l'école, il dormait profondément… Hé, hé ! Je le comprends car avec cette nuit écourtée, j'ai bâillé toute la journée. Mais je veux tenir le coup pour *Samantha et ses colocs,* ce soir.

20 h 34. Je viens de jeter un coup d'œil sous mon lit, cher journal. Ça a l'air ridicule, je le sais, mais depuis qu'un voleur est entré chez nous, j'ai peur. Vivement que le système d'alarme soit installé ! En attendant, j'espère que je ne vais pas faire de cauchemar.

# Mercredi 2 février

Petites nouvelles du jour :

♥ Violette nous invite samedi pour son anniversaire. Quand je dis nous, il s'agit d'Éléonore, Audrey, Jade, Emma, Africa, Kelly-Ann, les 2 Catherine, Marie-Ève & moi. Chouette journée entre filles en perspective !

♥ La prof d'éduc a tenu parole. Elle nous a concocté un nouvel enchaînement pour notre pause-adrénaline. Elle l'a appris à Marie-Ève et Eduardo durant la récré. Et ils nous ont servi de moniteurs en classe, après la dictée. Un deux trois, hop ! Un deux trois, hop !

♥ C'est plus fort que moi, j'ai encore écrit à Karim. Comme on lance une bouteille à la mer. Un dernier message, on ne sait jamais. Juste : « Coucou Karim, c'est moi ! J'ai hâte d'avoir de tes nouvelles. Alice »

♥ En rentrant de l'école, des points rouges placés à intervalles réguliers sur le comptoir de la cuisine ont attiré mon attention.

– C'est quoi ? ai-je demandé à Caro qui venait de refermer le frigo.

– Du ketchup. Ça va redonner des forces aux coccinelles ; elles en ont bien besoin. À propos, Alice, j'ai retrouvé la 3ᵉ ! Elle se balade avec les autres sur la fenêtre.

Ma sœur nourrit ses coccinelles au ketchup, cher journal !

## Jeudi 3 février

Je suis revenue seule de l'école parce que Caro est partie avec Jess. Elles voulaient terminer leur travail sur les volcans. Avec ma sœur, toutes les occasions sont bonnes pour aller dormir chez sa meilleure amie (et son grand frère, qui est en 1<sup>re</sup> secondaire!). Elle y restera jusqu'à vendredi soir car demain, on a congé. J'aurais aimé en profiter pour inviter ma *best* chez moi. On aurait pu dormir dans ma chambre, pour une fois (Marie-Ève dans le lit de Caro) plutôt que de devoir descendre dans la chambre d'amis. Hélas, ce n'est pas possible: Marie part ce soir chez ses grands-parents. Au moins, on se verra à la fête de Violette.

En arrivant à la maison, j'ai tout de suite remarqué sur la porte d'entrée la pancarte *Attention, chien méchant!* (avec la photo d'un doberman les yeux injectés de sang et la gueule ouverte et pleine de dents, qui ne ferait effectivement qu'une bouchée des visiteurs, quels qu'ils soient). Il y avait aussi un autocollant plus petit mais également dissuasif: «Maison protégée par ALARME INTÉGRALE».

Dans l'entrée, j'ai eu la surprise de tomber sur un inconnu. Pas un bandit, heureusement, mais le technicien qui venait d'installer le système d'alarme. Papa l'a remercié. L'homme est parti et mon père m'a montré comment fonctionne ce bidule. Pour l'activer comme pour le désactiver, il suffit d'appuyer sur l'étoile suivi d'un code top secret. Les malfaiteurs n'ont qu'à bien se tenir : désormais, le 42, rue Isidore-Bottine est une véritable forteresse (ou presque) ! En effet, tant qu'à y être, papa a choisi l'option la plus sécuritaire. Si le système se déclenche, la police est automatiquement prévenue et une auto-patrouille se met en route vers chez nous. Bref, on va pouvoir dormir sur nos deux oreilles.

Maman est passée en coup de vent avec Zoé pour lui donner son bain et se changer. Elle est invitée à souper chez son éditrice. Elle emmène notre bébé chéri avec elle, car Ilona Janowicz a un petit garçon de 2 ans et une fille de 10 ans qui adore s'occuper des tout-petits. Moumou nous a signalé, à papa et à moi, qu'il restait des macaronis au fromage dans le frigo. Poupou lui a annoncé (et à moi aussi par la même occasion) qu'il en profiterait pour sortir avec moi. Bref, une soirée resto-cinéma père-fille. Cool !
– Alice a école, demain, chéri. Ne rentrez pas trop tard !
– Pas de soucis pour vendredi, maman. Je te rappelle que c'est une journée de congé pédagogique.

Mon père a expliqué à ma mère que si, ce soir, elle revenait la première à la maison, elle devrait éteindre l'alarme. Il lui a montré comment faire. Faut dire que c'est bébé fafa. De plus, moumou la distraite ne risque pas d'oublier vu que, dès qu'on ouvre la porte, un léger biiiiiiiiiiiiiiiiiiiiip nous rappelle que le système d'alarme est mis et qu'on a exactement 60 secondes pour le désarmer.

D'habitude, cher journal, lorsqu'on sort en famille, c'est toujours avec mes sœurs. Cette fois, je serai seule, moi, la grande, avec papa et ça me fait super plaisir. Bon, je m'en vais de ce pas nourrir Cannelle et la promener. Puis prendre ma douche (parce qu'on rentrera tard) et on y va. Bye!

22 h 08. Mon père m'a emmenée manger un couscous dans un resto marocain. Puis nous sommes allés au cinéma Beaubien voir *Un été en Provence*. L'histoire de deux ados (un gars et une fille) et de leur petit frère sourd (quel bon acteur! Wow!) qui passent l'été chez leurs grands-parents. Mais entre querelles de famille, drogue, disparitions, amours & réconciliations, ce ne sont pas des vacances de tout repos! Bref, le film m'a beaucoup plu. Après la canicule provençale, ça faisait drôle, en sortant, de se retrouver à nouveau au cœur de l'hiver montréalais!

À la maison, moumou, déjà en pyjama, nous attendait en lisant sur le sofa. Tout à coup, la fatigue m'est tombée dessus: boum! Heureusement que demain, je pourrai faire la grasse matinée puisque je serai seule à la maison avec Cannelle (mes parents et Zoé n'ayant pas de journée pédagogique, eux).

## Vendredi 4 février

Normalement, Cannelle et moi on aurait pu dormir tout notre saoul. Mais je ne sais pas si tu l'as remarqué, cher journal, la vie est rarement normale. Ce matin, je me suis levée pour aller à la toilette. Encore tout ensommeillée, je comptais me recoucher et me rendormir. Ce n'est pas ça qui est arrivé. Je venais à peine de me glisser à nouveau sous la couette qu'un bruit d'enfer a éclaté. Je me suis redressée d'un seul coup sur mon lit tandis que Cannelle s'est mise à aboyer comme une folle. C'était quoi, ce boucan épouvantable qui défonçait nos tympans?!!! L'alarme-incendie dont maman avait changé la pile la semaine dernière? D'autant plus paniquée qu'apparemment, je me trouvais seule dans la maison (mes parents étaient sûrement déjà partis au boulot), j'ai commencé à renifler. Ça ne sentait pas la fumée. Et lorsque j'ai ouvert la porte de ma chambre, j'ai constaté avec soulagement que la maison n'était pas en flammes. Mais il y avait toujours cet insupportable son strident. TILT! Le système d'alarme! Y avait-il un voleur dans la maison?!

Ma tête allait exploser. D'abord, commencer par éteindre cette 💀💀💀 sonnerie qui me vrillait le crâne. C'était quoi encore, le code? 6543? Non, 4593? J'ai essayé sans succès. J'ai crié à Cannelle de se taire mais en vain. Complètement déboussolée, j'ai pensé courir chez les Baldini pour leur demander de l'aide. Mais je me trouvais en pyjama et en plus, on n'était pas en Provence! J'avais déjà enfilé mon manteau et mes bottes lorsque par la fenêtre de la porte d'entrée, j'ai aperçu des lumières de gyrophares tournoyer au-dessus de deux voitures. Des policiers en sont sortis à toute allure. Leur arme à la main, ils ont grimpé notre escalier extérieur au pas de course. Au secours!!! Je me suis mise à trembler. L'alarme et les aboiements étaient si assourdissants que je n'ai pas entendu sonner. Peu importe, il fallait leur ouvrir sinon ils donneraient l'assaut. J'espérais juste qu'ils ne tirent pas sur moi. Ni sur la brave Cannelle, d'ailleurs! Du coup, je l'ai enfermée dans la cuisine. Puis, prenant mon courage à deux mains, j'ai ouvert la porte d'entrée. Devant les quatre revolvers braqués sur moi, j'ai levé mes bras en l'air, comme on voit dans les films. Surpris, les policiers ont baissé leurs armes.

– C'est maman! me suis-je exclamée.

– Comment ça? a hurlé un des policiers pour se faire entendre. Peux-tu éteindre le système d'alarme?

– Comme on est venu nous l'installer hier, je n'ai pas retenu le code. Mais je…

Me coupant la parole, le policier a déclaré:

– On va explorer le domicile. Toi, tu vas attendre dans la voiture avec l'agent Bélanger.

Avant de sortir, escortée par un des policiers, j'ai pensé avertir les autres:

– Mon chien se trouve dans la cuisine, ai-je crié. S'il vous plaît, ne lui faites pas de mal!

Le policier Bélanger m'a fait entrer dans le premier véhicule. Après avoir claqué la portière, il est venu s'asseoir sur le siège du conducteur. Même si ça faisait du bien à mes oreilles de s'éloigner de cette alarme de malheur, dans ma tête, on aurait dit que des marteaux continuaient à cogner sur mon cerveau endolori. En plus, j'étais hyper stressée car je craignais que Cannelle, qui n'avait jamais mordu personne, ne se jette sur les policiers et se fasse abattre.

L'homme a commencé à me questionner :

– Comment t'appelles-tu ?

– Alice Aubry.

– Quel âge as-tu, Alice ?

– Onze ans. Presque onze ans et demi.

– Tu habites ici ?

– Oui.

– Et qu'est-ce que…

La portière côté passager (la mienne) s'est ouverte.

– Il n'y a personne à l'intérieur, a annoncé le plus grand des policiers à son confrère qui me « gardait ». À part le chien. On l'a laissé dans la cuisine.

Quel soulagement… ma petite Cannelle était saine et sauve !


Se penchant vers moi, cet homme m'a demandé :

– Que voulais-tu nous dire à propos de ta mère ?

– Elle a dû activer le système d'alarme en oubliant que je me trouvais à l'intérieur. Tant que je dormais, ça ne posait pas de problème. Mais lorsque je me suis levée pour me rendre aux toilettes, le détecteur de mouvement a capté mes déplacements. Et la sirène s'est déclenchée…

Après avoir considéré mon vieux pyjama Shrek (je n'avais pas pris le temps, tout à l'heure, de fermer mon manteau) et mes cheveux en bataille, le policier a regardé ses confrères d'un air entendu. Puis, il m'a demandé :

– Tu vis seule avec ta mère et elle te néglige, c'est ça ? Tu ne vas pas à l'école ?

– Oh oui, enfin oui pour l'école. Je vais à l'école des Érables, à quelques rues d'ici. Mais aujourd'hui, je n'y suis pas car c'est une journée pédagogique. Et en ce qui concerne ma mère, non, elle ne me néglige pas. Le seul défaut qu'elle a, c'est sa distraction.

*La distraction d'Astrid Vermeulen a encore frappé !*

Enfin, je n'ai pas parlé de son défaut n° 2 (celui de nous refiler régulièrement du tofu), car il n'avait aucun rapport avec la situation. On n'alerte pas la DPJ pour un cas de consommation de tofu. Cette matière blanchâtre n'est pas considérée comme une drogue. Même si ma mère, elle, y est complètement accro.

– Peux-tu éteindre le système d'alarme, Alice ?

J'ai répété :

– Comme on est venu nous l'installer hier, je n'ai pas retenu le code. Mais je peux appeler ma mère au travail. J'espère qu'elle s'en souviendra.

Le policier assis à mes côtés a composé le numéro de téléphone de moumou. Elle a répondu et lui a donné le code. Son collègue s'est élancé vers le perron et a ENFIN éteint la maudite sirène. Fiouuuu… Cannelle, elle, s'époumonait toujours dans la cuisine.

Deux des policiers sont rentrés dans leur véhicule garé derrière le nôtre. Ils ont éteint le gyrophare et sont partis. Ceux qui restaient m'ont raccompagnée à l'intérieur. J'ai délivré ma chienne qui tremblait comme une feuille et l'ai rassurée de mon mieux. Un des policiers a commencé à remplir un rapport sur la table de cuisine. Et moi, je suis montée m'habiller.

Ma mère est arrivée peu de temps après, tout énervée. Elle s'est confondue en excuses. Une fois les policiers partis, elle m'a promis de ne plus jamais recommencer. Je lui en voulais mais pas trop, car, bien entendu, elle ne l'avait pas fait exprès. Comme je suis souvent dans la lune, moi aussi, j'ai tendance à me montrer compréhensive devant les distractions en tous genres d'Astrid Vermeulen.

Finalement, cher journal, tout ce que j'ai fait de ma journée de congé, c'est: déjeuner, m'étendre sur mon lit pour essayer de me débarrasser de mon mal de tête (ça a marché, j'ai dormi deux heures), dîner avec maman qui n'était pas repartie au boulot, te raconter la mésaventure de ce matin, relater une 2$^e$ fois mes déboires à Caro après que le père de Jessica l'a déposée à la maison, et une 3$^e$ fois à papa, ce soir. Lui s'est montré moins indulgent que moi. Il a adressé des reproches à maman.
– Astrid, ça n'arrive qu'à toi, ce genre de choses! Vraiment, tu dépasses les bornes!
– Que veux-tu, Marc, je suis étourdie… J'étais terriblement embêtée, ce matin, quand le policier m'a appelée.
– On le serait à moins…, a répliqué le paternel d'un ton sarcastique.

– Il est nouveau, ce système d'alarme, chéri. En plus, d'habitude, lorsque je quitte la maison, Alice et Caroline sont déjà parties à l'école. Ou alors, elles sortent en même temps que Zoé et moi… Enfin, j'ai eu ma leçon! Je vous garantis que ça n'arrivera plus.

Quand j'y pense… quelle chance que Marie-Ève n'ait pas dormi ici, cette nuit! Déjà que c'était l'enfer, ce matin, mais avec une invitée, j'aurais été tellement gênée!!!

## Samedi 5 février

Ce matin, Caro m'a demandé ce que j'avais prévu comme cadeau pour Violette.
– Je ne sais pas encore, lui ai-je répondu. Papa et moi, on passera au…
Maman m'a interrompue.
– Tu pourrais lui choisir un beau livre.
– Tout sauf un livre! me suis-je exclamée.
– Pourquoi?! Elle n'aime pas lire?!
– Au contraire, Violette est une grande lectrice. Mais ses parents sont libraires.

Au centre commercial, la collection de printemps venait d'arriver. Les vitrines étaient pleines de belles couleurs pastel. J'ai acheté un tee-shirt rose pâle avec des bretelles spaghettis pour Violette. Quand on en prenait deux, le second était à moitié prix. Du coup, mon père m'en a offert un blanc. Puis, il m'a déposée chez mon amie. En bas, c'est la librairie-papeterie et en haut, la famille de mon amie occupe un vaste appartement. À l'instant où Violette m'ouvrait la porte, elle s'est fait bousculer par ses deux frères (Victor et Santiago, que je connais de vue puisqu'ils sont en 3$^e$ et en 1$^{re}$ année) qui se poursuivaient en criant.

– Arrêtez! a crié leur sœur en levant les yeux au ciel. Pfff, ils sont fatigants… Excuse-moi, Alice! Viens, entre.

Marie-Ève et Africa étaient déjà là.

Violette a une chambre super tendance. Dans les tons blanc, orange et vert.

– J'aimerais tellement avoir une belle chambre comme la tienne! s'est exclamée Audrey. J'en ai assez de mes vieux stores bleus et de ma housse de couette fleurie.

– Ma nouvelle chambre, c'était le cadeau de mes parents pour mes 11 ans, a expliqué Violette.

Audrey a soupiré:

– J'aurais dû demander de redécorer ma chambre pour mes 12 ans! Mais mon anniversaire, c'était le mois dernier…

Un buffet avec plusieurs salades nous attendait dans la cuisine. Juste pour nous, les filles. Le père de Violette était venu chercher ses *bing! bang! boum!* de fils. Ils allaient manger des sandwiches dans la petite cuisine du rez-de-chaussée, au fond de la librairie. Violette a sorti du four un plat avec des blancs de poulet rôtis et un autre avec des pommes de terre aux épices cajun. Tout était délicieux. Et pour une fois, notre amie a pu manger exactement la même chose que nous car bien entendu, chez elle, on cuisine sans les ingrédients auxquels elle est allergique. Malgré tout, j'ai remarqué qu'ici aussi, elle porte à la taille son étui rose avec son auto-injecteur d'adrénaline.

On rangeait nos assiettes dans le lave-vaisselle quand la mère de Violette est arrivée.

Après nous avoir saluées, elle est ressortie un instant et est revenue avec un gâteau au chocolat joliment décoré et illuminé de bougies.

– Hein, tu peux manger ça, Violette ?! s'est étonnée Audrey.

– Bien sûr. On l'a fait hier soir avec du chocolat sans allergènes. C'est mon gâteau préféré.

Crois-le ou pas, cher journal, c'était divin. Catherine Provencher a demandé la recette et j'ai fait de même.

Violette a ouvert ses cadeaux ☺ puis on a continué à papoter et à rigoler dans le salon. Catherine Frontenac est trop drôle, cher journal ! Elle nous a fait rire aux larmes. Moi, j'ai tenu mes amies en haleine en leur racontant mon réveil en sursaut de la veille ! Quant à Marie-Ève, elle est excitée comme une puce. Sa mère commence à travailler lundi sur le plateau de tournage de *Samantha et ses colocs* !

En milieu d'après-midi, on est descendues par l'étroit escalier en colimaçon qui relie l'appartement des Comeau-Ferreira à leur librairie. Violette nous a montré son coin de lecture secret. Depuis qu'elle est petite, elle s'installe sous cet escalier privé pour lire les nouveautés ! Elle a l'impression d'y être un peu comme dans une grotte. Ça doit être super d'avoir une librairie !

Le père de Violette est sorti de l'entrepôt. Tenant un livre à la main, il avait un air réjoui. Il a expliqué à sa fille :
– Je suis en train de sortir les nouveautés de leurs boîtes. Regarde un peu, Violette, sur quoi je suis tombé !
Hein, le nouveau tome de la série *Passion Équitation* !
– Super ! s'est exclamée notre amie. Je le commencerai ce soir.
Marie-Ève s'est adressée à monsieur Ferreira :
– Ceci est votre unique exemplaire des *Mustangs sauvages*, monsieur ?
– Oh non, nous en avons reçu une caisse pleine. Je crois que nous en avions commandé 35. Il s'agit d'une série très populaire.
– Je voudrais en prendre un, a dit ma meilleure amie. Ma mère le payera en venant me chercher.
– Et moi aussi, a dit Jade.

Tu le sais, cher journal, que je suis également fan de cette série, mais Marie-Ève me prête chaque nouveau tome dès qu'elle l'a lu. Par contre, j'ai demandé à Violette qu'elle me prévienne quand le tome 15 des *Zarchinuls* sortira. Désormais, je compléterai ma collection en me procurant les livres à la librairie de ses parents.

## Dimanche 6 février

Matinée ping-pong chez Petrus et après-midi ski de fond à Laval avec ma famille. On a emmené Petrus avec nous. Trop cool!

## Lundi 7 février

Ce matin, Marie-Ève a sorti un bouquin de son sac d'école. *Les mustangs sauvages.*
– Tiens, Alice!
– Tu l'as déjà terminé?!
– Oui, tard hier soir. Comme d'habitude, c'est palpitant!
– En un jour et demi? s'est étonnée Catherine Provencher. On peut dire que tu l'as dévoré!
– C'est exactement ça. Avant, j'adorais déjà cette série. Mais depuis que j'ai rencontré l'auteure au Salon du livre, j'ai encore plus de plaisir à découvrir la suite des aventures de Kenza. Je peux imaginer Terri Lund qui écrit l'histoire chez elle, au pied des montagnes Rocheuses. Quand elle a besoin d'une pause, elle selle sa jument et chevauche pendant des heures dans les grandes étendues sauvages...
– Terri Lund a une jument? ai-je demandé à ma meilleure amie.
– Je n'en sais rien, Alice, mais j'imagine que oui. Elle et son mari vivent dans un ranch. Et puis, elle décrit si bien

Sandy, la jument de l'histoire, que c'est évident qu'elle fait de l'équitation.

– Tu me donnes vraiment envie de découvrir cette série, a dit Catherine Provencher.

– Veux-tu que je t'apporte le tome 1, demain ? lui a proposé Marie-Ève.

– D'accord. Merci !

Ce midi, Stéphanie Poirier a envoyé un texto à sa fille pour dire que tout se passait pour le mieux avec l'équipe de *Samantha*. Trop cool !

Cet après-midi, maman est venue nous chercher à l'école car j'avais rendez-vous chez l'orthodontiste. Celle-ci m'a demandé si je voulais garder la couleur turquoise pour les mini-beignets élastiques. J'ai dit que je préférerais des transparents. C'est plus discret et ainsi, Gigi Foster ne pourra plus me traiter de Schtroumpfette ! L'orthodontiste a aussi resserré mes broches et m'a placé de vrais petits élastiques. Bref, j'ai à nouveau mal à la bouche.

Une fois à la maison, Caroline a filé à l'ordi pour terminer son travail. Moi, j'apportais ma boîte à lunch dans la cuisine quand moumou m'a dit qu'un homme avait sonné à la porte, tout à l'heure.

– Ah oui, ai-je répondu distraitement. Et qu'est-ce qu'il voulait ?

– Il fait partie de l'équipe de tournage de *Samantha et ses colocs*.

J'ai dévisagé maman.

– Tu blagues ?!

– Pas du tout ! Ce recherchiste m'a dit qu'il serait intéressé à emprunter notre maison pour y tourner certains passages de la 5ᵉ saison. Des scènes qui se dérouleront chez les parents de Samantha.

Mon visage s'est éclairé comme le soleil.

– Filmer *Samantha* chez nous ! Trop coooool !!!


– Ne t'emballe pas trop vite, Alice, car bien sûr, j'ai dit non.

– Comment ça ?! me suis-je exclamée.

– Écoute, on est bien trop occupés pour s'embarquer dans un projet comme celui-là ! Sans compter que les séances de photos pour illustrer *Tofu tout fou !* débuteront lundi prochain. On n'aurait pas un instant pour déménager.

– Déménager ?!

– Oui, d'après le recherchiste, il aurait fallu qu'on aille vivre à l'hôtel pendant trois semaines. Tous frais payés, bien sûr. L'équipe aurait redécoré notre intérieur pour les besoins de l'émission. Et, avant de nous rendre notre domicile, elle aurait fait repeindre les pièces dans les couleurs de notre choix.

Vivre à l'hôtel pendant trois semaines, quelle aventure excitante ! Un peu comme Éloïse à l'Hôtel Plaza, à New York, un livre que j'ai lu et relu quand j'avais 7 ans. Et j'avais aussi adoré le film. Retrouver notre maison repeinte à neuf dans des couleurs pimpantes. Ça nous aurait changés des murs blancs de la cuisine et du beige du salon… *Le rêve…*

Tout ça tombe à l'eau et pourquoi? Pour le foutu bouquin de mumu, je veux dire de moumou! Scrogneugneu à roulettes!!! Je suis hyyyyyyyyyyper frustrée! Pour une fois qu'il nous arrivait quelque chose de passionnant dans la vie, Astrid Vermeulen a dit non. Je n'en reviens pas! Marie-Ève a une mère 200 % cool. La mienne? 0 %.

*Dur retour à la réalité.*

## Mardi 8 février

En entrant dans la cour d'école, j'ai vu que Marie-Ève était déjà là. Mais que faisait-elle avec Éléonore sous NOTRE érable?! (Je blague, cher journal, car maintenant, Marie et Léo s'entendent bien. Cette dernière fait partie de notre «gang» d'amies.) En tout cas, elles étaient en pleine conversation et ne m'avaient même pas aperçue. Tout à coup, elles se sont serrées dans les bras l'une de l'autre. Que se passait-il donc?!!!

Je les ai rejointes.

– Allô! ai-je lancé en déposant mon sac d'école au pied de l'arbre.

– Salut Alice, m'a répondu ma *best* d'un air absent.

Quant à Éléonore, elle n'a même pas pris la peine de se retourner pour me saluer. Elle m'a dit:

– Désolée, Alice, mais je parle en privé avec Marie-Ève.

Et elle s'est éloignée. Quant à ma meilleure amie… elle l'a suivie!

En les regardant poursuivre leur conciliabule dans un coin de la cour, je me suis sentie tout à l'envers. D'habitude, Marie-Ève et moi, on n'a rien à se cacher. C'est difficile d'avoir soudain l'impression de déranger. De se sentir de trop. D'être exclue. Et tout ça, sans avoir la moindre idée de ce qui se trame. Petrus, Bohumil, Simon & Ilhan sont venus me saluer puis la cloche a sonné.

Je rangeais mes bottes dans mon casier lorsque Marie-Ève a ouvert le casier voisin qui est le sien. Et discrètement, pour que les autres n'entendent pas, elle m'a dit :

– Excuse-moi pour tout à l'heure, Alice. Mais pauvre Éléonore…

Bon, je retrouvais ma *best*. Notre amitié n'était pas en jeu. Mon cœur tout chiffonné s'est défripé comme par magie.

– Pas de problème, Marie-Ève. Que lui arrive-t-il, à Léo ?

– Je t'expliquerai ça à la récréation.

– D'accord, ai-je répondu en entrant en classe.

Après un contrôle de maths, la dictée et une lecture-récompense de madame Robinson, la cloche a enfin annoncé le début de la récré. Cinq minutes plus tard, Marie-Ève et moi, on se retrouvait sous l'érable. Elle a commencé à me raconter :

– Lorsque je suis arrivée, ce matin, Éléonore est venue me voir. Elle était dans tous ses états parce que ses parents vont se séparer.

– Oh non ! Je ne savais pas qu'ils ne s'entendaient plus.

– Elle non plus, figure-toi. Au début, je ne comprenais pas grand-chose à ce qu'elle disait tant elle pleurait. Puis elle s'est calmée. Elle avait vraiment besoin de réconfort car elle est tombée des nues, hier, quand elle et son père ont appris que sa mère sortait en cachette avec un ami de la famille. Ça a été la crise! Sa mère réclame le divorce. Elle veut mettre la maison en vente… Comme tu peux te l'imaginer, Éléonore n'a pas pu fermer l'œil de la nuit.

*L'amour, c'est pas toujours rose.*

*Quand il vole en éclats,*

*ça peut faire drôlement mal.*

Balayant la cour du regard, j'ai cherché Éléonore. Ah, elle se tenait avec Violette et Audrey près des paniers de basket.

– Elle doit être en train de tout leur raconter, a repris Marie-Ève. Mais elle tenait d'abord à se confier à moi, car elle se trouvait dans notre classe, l'an dernier, quand mes parents se sont séparés. Elle se rappelle combien j'étais bouleversée, moi aussi. Du coup, elle a pensé que personne ne pouvait mieux la comprendre que moi.

Pauvre Éléonore, en effet… Je compatis avec elle. Mais elle a bien fait d'avoir choisi Marie-Ève comme confidente. Comme ma meilleure amie est passée par là, elle aussi, elle va pouvoir la soutenir dans l'épreuve qu'elle traverse.

Cet après-midi, papa, qui avait terminé son travail plus tôt, nous attendait à la sortie de l'école avec Zoé sur ses épaules.

– J'aime ça, quand vous venez nous chercher! a dit Caroline.

– Moi aussi, a répondu papa. La fourgonnette est si sale qu'avant de rentrer chez nous, on va passer au lave-auto. Zoé n'y est encore jamais allée.

Bon, moi, le lave-auto, ça ne m'excite pas trop! J'aurais préféré filer directement à la maison surtout que j'ai plein de boulot. Mais comme il fait très froid aujourd'hui, j'étais contente de ne pas devoir rentrer à pied.


Au lave-auto, il y avait deux voitures devant nous. Quand ç'a été à notre tour, papa a ouvert la fenêtre, il a introduit sa nouvelle carte de crédit dans l'appareil à l'entrée, et il a avancé la fourgonnette.

– Il va y avoir de la mousse partout! a-t-il annoncé, un peu comme l'aurait fait un présentateur de cirque. Attention, les filles, ça va commencer : 5 4 3 2 1 Zéro!

Des jets d'eau se sont mis à arroser notre véhicule. Un savon rose Barbie a giclé sur le pare-brise. De grosses brosses orange se sont avancées vers nous, un peu comme des robots. Papa, qui m'avait demandé de détacher notre Zouzou chérie de son siège, l'a prise sur ses genoux. Il lui a expliqué :

– Regarde, mon Bichon, la machine va nettoyer la fourgonnette. Tu vas voir comme c'est amusant. Papa, il aime ça, le lave-auto!

Les brosses ont commencé à tournoyer. Deux secondes plus tard, on ne distinguait plus rien à travers les vitres et le pare-brise couverts de mousse rose. C'est alors qu'on a entendu un bruit bizarre au-dessus de nos têtes, un zzzZZZZZZZZZZZZ de plus en plus aigu suivi d'un TACATACATACATAC impressionnant. La fourgonnette s'est mise à vibrer.

– La boîte à skis ! s'est écrié papa.

– Oh non !!! a fait Caro.

– Oui, la boîte à skis ! a répété papa. Je l'avais oubliée.

Notre véhicule tanguait de plus en plus fort. On se serait crus dans un bateau livré à une tempête en plein milieu de l'océan ! Sauf que l'écume des vagues était rose. Le bruit sur le toit devenait assourdissant. Après une série de grincements stridents, on a entendu un énorme CRRRRRAC ! suivi d'un **BOUM !** La boîte à skis venait de glisser sur le capot puis à terre. Horreur absolue ! On était tous les quatre prisonniers de cette machine diabolique. Elle allait nous broyer ! Zoé pleurait. Me cramponnant au siège de mon père, je me suis mise à crier. On a encore entendu ZZZzzz puis tchhhhh… À travers le pare-brise mousseux, on a aperçu des étincelles. Panique à bord !

Se bouchant les oreilles et fermant les yeux, Caroline a hurlé :

– Ça va exploser !!!

Au lieu d'une déflagration, il y a encore eu quelques TAC… TAC… TAC… puis plus rien. Silence de mort.

Faisant mine de s'arracher les cheveux, mon père a gémi :
– C'est pas vrai ! Mais c'est pas vrai !

Puis il a lancé une série d'affreux jurons. Heureusement qu'Astrid Vermeulen n'était pas là, elle qui attrape de l'urticaire dès qu'elle entend le moindre gros mot ! Papa est sorti de la voiture pour constater l'étendue des dégâts. Caro et moi, on l'a suivi sur le champ de bataille. Ça sentait le savon mais aussi le brûlé. Les rails métalliques sur lesquels se trouvait la boîte à skis avaient été à moitié arrachés du toit. Quant à la machine à brosses, coincée sous un rail, elle était complètement tordue. Avec la fumée qui nous faisait tousser, on avait presque l'impression d'être dans un film de guerre. Papa, lui, était furieux.
– Comment ai-je pu oublier cette k#🐛!?& de boîte ! a-t-il pesté en donnant un bon coup de pied dans la carrosserie.

Hein !!!

Le garagiste a fait irruption dans la salle. Devant la scène apocalyptique qui s'offrait à lui, il est resté un instant bouche bée. Puis, il a houspillé mon père :
– Vous êtes venus au lave-auto avec une boîte à skis ! Ça va pas la tête, non ?!

Zoé a recommencé à sangloter. Je l'ai passée à papa. Le garagiste vociférait. Au beau milieu de cette cacophonie, je pensais que tout aurait été si simple si Caro et moi, on était revenues à la maison à pied, comme d'habitude… La mousse qui recouvrait la fourgonnette était en train de sécher. Dire que le but de l'opération était de laver notre véhicule… À propos de laver, on a aidé papa à nettoyer les vitres du mieux qu'on pouvait avec des mouchoirs en papier.

Sur le chemin du retour, Caroline, considérant le visage de Zoé couvert de larmes à moitié séchées, a cru bon de lui préciser :
– D'habitude, Zouzou, c'est pas comme ça que ça se passe…

Je me suis retenue pour ne pas pouffer de rire. C'est alors que mon imagination s'est allumée, sans doute pour me permettre d'échapper à l'ambiance glaciale qui régnait dans l'habitacle. TILT ! Je devrais proposer à La Ronde une nouvelle attraction terrifiante pour leur prochaine Grande Fête de l'Halloween :

☠ Le lave-auto : ce divertissement se passe totalement de commentaires…

Des souvenirs sont ensuite remontés à ma mémoire : Zoé qui, cet automne, avait la fâcheuse habitude de mordre. Et qui était terrorisée par « Pènowèl » ! Alors, sur ma lancée, j'ai imaginé d'autres attractions à frissons garantis :

☠ Le trône du père Noël : une fois assis sur ses genoux, essayez donc de vous échapper ! Bonne chance !

☠ L'aquarium de bébé requin : on vous enferme pendant 60 secondes dans une petite pièce avec un jeune requin. Si vous réussissez à ne pas vous faire mordre, vous gagnez une barbe à papa !

Bien sûr, je n'ai rien dit de tout cela... Ce n'était pas le moment de blaguer.

Papa s'est garé devant chez nous. La porte de la maison s'est ouverte... C'était maman! Mais que faisait-elle là? À cette heure-ci, elle aurait dû se trouver à son cours de yoga... Devant l'aspect méconnaissable de notre voiture couverte de mousse gelée, avec les rails de la boîte à skis à moitié arrachés, ladite boîte qui n'était plus là, le capot éraflé et nos airs de chien battu, son visage s'est décomposé. Elle a accouru.

– Bon sang, vous avez eu un accident?!

– Non, rassure-toi, a grommelé papa en détachant Zoé de son siège. On est indemnes. Et toi, tu es déjà là?!

– Comme tu le vois, chéri. Le cours de yoga était annulé parce que le prof était malade. Laura m'a déposée à la maison il y a cinq minutes. Mais explique-moi donc ce qui vous est arrivé!

– Tu auras droit au récit de notre mésaventure, mais attends au moins qu'on soit à l'intérieur.

Deux minutes plus tard, on a raconté à moumou comment notre joyeuse virée au lave-auto avait tourné au scénario d'épouvante. Elle n'avait vraiment pas l'air contente.

– Voyons, Marc, comment as-tu pu oublier cette boîte à skis?!

– Ça, c'est la meilleure! s'est défendu mon père. Tu ne vas tout de même pas me reprocher, pour une fois, d'avoir été distrait ! Toi, Astrid, tu es distraite à longueur d'année ! Et moi, je supporte tout sans jamais rien dire…

– Pauvre victime ! a raillé maman. Je te fais remarquer que ma distraction n'a jamais entraîné de pareilles conséquences ! Tu es rarement dans la lune, je le reconnais, mais lorsque tu t'y mets, tu ne fais pas les choses à moitié ! Et quand tu dis que tu ne me blâmes jamais, ce n'est pas vrai. Pas plus tard que vendredi, tu m'as affirmé que je dépassais les bornes ! Mais QUI dépasse les bornes, hein, on se le demande ?!

S'interposant entre les belligérants, Caro a soupiré :

– Ah non, vous n'allez pas, en plus, vous chicaner !

Il y a eu un silence. Maman a pris une grande respiration.

– Tu as raison, Ciboulette, a-t-elle reconnu. Se disputer n'y changera rien. Le principal est que personne n'ait été blessé. Il ne nous reste plus qu'à contacter les assurances et le garagiste pour réparer notre fourgonnette. Enfin, un autre garagiste…

Son visage s'est éclairé d'un sourire malicieux. Elle a ébouriffé les cheveux de poupou.

– Pauvre chéri ! Je reconnais que je suis la reine de l'étourderie et que tu fais preuve d'infiniment de patience avec moi. Cependant, si tu cherches à me concurrencer, alors là, on court droit à la catastrophe !

Et SMACK ! Elle lui a donné un *big* bisou. Après tout ce stress, il était temps de décompresser. Mais moumou a raison, cher journal. Je n'ose pas imaginer une famille où les *deux* parents sont distraits. Ça doit être l'horreur absolue.

Me remémorant ce qui s'était passé il y a quelques jours à la sortie de l'école, j'ai lancé d'un ton comique à papa :

– Et dire que tu étais furieux de la soi-disant égratignure que madame Fattal avait faite au pare-chocs de notre fourgonnette… C'était rien, comparé à aujourd'hui !

Le paternel, qui n'était pas d'humeur à plaisanter, est resté de marbre. Pouffant de rire, Caroline a alors dit à maman :

– Tu aurais dû voir la tête de papa lorsqu'on a entendu zzzZZZ TACATACATAC !

– Et celle du garagiste lorsqu'il a découvert le désastre ! ai-je ajouté en rigolant franchement. Hi, hi, hi !

– J'imagine très bien ! a murmuré moumou en esquissant un sourire.

Quand j'ai ajouté, en hurlant de rire : « On se serait crus dans un épisode des *Zarchinuuuuls* ! *Les Zarchinuls au lave-autoooo* ! », papa n'a pas pu s'empêcher de rigoler, lui aussi. Ravie de ce soudain changement d'humeur, Zoé s'est mise à applaudir. Comme les bébés ne comprennent pas encore tout ce qui se passe autour d'eux, des fois, ils doivent se dire qu'ils vivent dans un monde vraiment bizarre !

Une fois calmée, j'ai poussé un soupir.

– Ça veut dire qu'on n'ira plus skier cette année…

– Pourquoi tu dis ça ? a demandé Caro.

– Parce que la boîte à skis est naze.

– Alice, mais où prends-tu ce vocabulaire ?! s'est exclamée ma mère.

– À l'école ! Tout le monde dit ça.

En fait, cette expression vient plutôt de Jonathan. Chaque fois qu'il brise ses lunettes, il s'écrie : « Oh non, elles sont complètement nazes ! »

– On va voir ce qu'on peut faire avec l'assurance, a dit mon père.

Toujours terre à terre, Caro nous a rappelés à l'ordre. Car si on ne se dépêchait pas de préparer le souper, on allait rater notre émission.

Le téléphone a sonné. J'ai pris le combiné.

– Non, vous n'êtes pas au *Papagallo*, ai-je répondu.

Ignorant ce que je venais de lui dire (ou peut-être était-il sourd ?), l'homme s'est énervé.

– Je suis un ami du patron, a-t-il déclaré. Vous entendrez parler de moi, ma petite ! Passez-moi Luigi immédiatement !

Je lui ai passé mon père. Qui l'a écouté patiemment puis a conclu à son tour :

– Désolé monsieur, mais vous n'êtes pas au bon numéro.

Puis poupou s'est écrié :

– Oh, quel butor ! Il m'a raccroché au nez !

– Ça faisait longtemps qu'on n'avait plus confondu notre numéro de téléphone avec celui de ce restaurant italien ! s'est exclamée maman. J'espère que ça ne va pas recommencer…

## Mercredi 9 février

Ce matin, quand je suis arrivée dans la cour, il y avait un rassemblement de filles sous l'érable. Elles piaillaient comme des moineaux. Parce que, dans l'épisode d'hier soir, Samantha a vu un gars qui lui plaisait. Pas un de ceux qui viennent visiter l'appartement (jusqu'ici, les étudiants qui se sont présentés sont tous plus bizarres les uns que les autres et Sam & Mélo n'en veulent sous aucun prétexte comme futurs colocs!). Donc, la pétillante rousse a pris le métro pour se rendre à l'université. Elle pitonnait sur son iPhone lorsque la rame est entrée dans la station Berri-UQAM. À l'instant où les portes s'ouvraient, elle a remarqué, à travers la vitre qui séparait son wagon du suivant, un gars avec des cheveux châtains bouclés et une chemise en jeans, qui la regardait intensément.

– Et après, a demandé Emma, que s'est-il passé?
Je lui ai raconté:
– Après avoir soutenu son regard, Samantha s'est élancée dehors juste avant que le signal de fermeture des portes ne retentisse. Elle a aussitôt dû le regretter car elle s'est retournée. L'épisode s'est arrêté sur cette image: au milieu d'un flot de gens qui la contournaient à contre-courant et se hâtaient vers la sortie, Sam regardait le métro s'éloigner.
– À sa place, j'aurais été morte de frustration, a déclaré Audrey.

– Elle *était* morte de frustration! a affirmé Kelly-Ann. Mais que pouvait-elle faire d'autre, de toute façon?

Après un instant de réflexion, Audrey lui a répondu:
– Si j'avais eu son âge et que j'avais été à sa place, moi, je serais restée dans le métro.
– Tu as raison! s'est écriée Catherine Frontenac. À la station suivante, le bel inconnu aurait peut-être changé de wagon pour la rejoindre. Ou alors, c'est elle qui aurait pu aller le retrouver. Soit ils auraient entamé une conversation, soit Sam aurait griffonné son numéro de téléphone sur un bout de papier et le lui aurait donné avant de descendre à la prochaine station.

– C'est risqué de divulguer ses coordonnées à quelqu'un qu'on ne connaît pas, lui a signalé Marie-Ève.
– Et tu oublies qu'elle était pressée, a ajouté Éléonore qui, même si elle est en plein marasme à la maison, n'a pourtant pas raté *Samantha et ses colocs*. Sam avait un rendez-vous hyper important avec un de ses profs à l'université.
– C'est vrai, a reconnu CF. Elle aurait tout simplement pu proposer, toujours sur un bout de papier, un rendez-vous pour le soir-même dans un lieu public très fréquenté, mettons, l'esplanade de la Place-des-Arts. S'il s'était présenté, Sam et lui auraient eu l'occasion de faire connaissance. Et si, par contre, elle l'avait attendu en vain, eh bien au moins, elle aurait su que le gars n'était pas intéressé à la revoir.

Admirative, Africa a lancé :

– Tu en as de l'imagination, Catherine ! Plus tard, tu devrais écrire des téléséries. En tout cas, j'espère que ces deux-là se reverront un jour.

Prise d'une inspiration subite, j'ai ajouté :

– Ce serait peut-être un coloc idéal !

Tandis qu'on se dirigeait vers l'escalier, Marie-Ève m'a dit :

– La Saint-Valentin, c'est déjà dans une semaine. Je sais ce que je vais offrir à Simon : un billet de cinéma. Pour y aller avec moi, bien entendu.

– C'est une excellente idée !

– Et Karim, comptes-tu lui écrire pour l'occasion ?

– Bof, je ne crois pas… Ça fait une éternité qu'il ne répond plus à mes messages…

Sans crier gare, une larme a roulé sur ma joue et je l'ai écrasée discrètement.

– Oh, pauvre Alice, viens ici !

Et Marie-Ève m'a fait un gros câlin.

Me reprenant, je lui ai expliqué, en parlant bas pour que les autres n'entendent pas :

– Depuis que Karim a déménagé à Beyrouth, on a gardé le contact pendant six mois. Mais maintenant, il doit être trop pris par sa vie là-bas et n'a plus de temps à me consacrer. Ou peut-être que, tout simplement, il ne pense plus à moi. Tu connais le dicton : *Loin des yeux, loin du cœur…*

– Mais non, Alice…

– C'est pourtant ce qui se passe. Ça m'attriste mais que veux-tu que j'y fasse ? Chaque matin, je me dis que je devrais lui écrire une dernière fois. Cependant, à quoi bon ? Il est temps que je me résigne, Marie-Ève.

– Karim me déçoit ! a déclaré ma meilleure amie en rangeant ses bottes dans son casier. Il a beaucoup changé car avant, il ne traitait pas les gens de cette façon. Il n'a aucune obligation de continuer à t'aimer. Mais le minimum de politesse serait qu'il te réponde.

Même si je trouve que Marie-Ève a raison, son jugement a rendu mon cœur encore plus mélancolique. On dirait une pièce vide balayée par le vent…

Après l'école, Caro est partie avec Arthur à leur cours de natation. Pour rentrer chez moi, j'ai pris un autre chemin que d'habitude car j'avais envie d'aller m'acheter une barre de chocolat à la menthe. Je venais d'arriver dans la rue du dépanneur quand j'ai aperçu monsieur Gauthier et madame Duval à l'arrêt de l'autobus. « Tiens, ils prennent le bus ensemble », me suis-je dit. À cet instant, l'enseignant de 5e année s'est penché vers sa collègue d'éducation physique. Celle-ci s'est dressée sur la pointe des pieds (ou plutôt sur la pointe de ses bottes fourrées) et… ils ont commencé à s'embrasser. Interdite, je me suis arrêtée. Les deux profs s'embrassaient, s'embrassaient… Wow ! J'en avais le souffle coupé ! Tout à coup, j'ai réalisé que j'étais figée au milieu du trottoir… Alors, pivotant sur mes talons, j'ai battu en retraite afin que les enseignants ne réalisent pas qu'une de leurs élèves avait été témoin de leur baiser passionné.

J'ai donc rebroussé chemin. Le chocolat à la menthe, ce serait pour une autre fois. Mon cœur cognait fort dans ma poitrine et ma bouche était sèche. J'étais bouleversée d'avoir découvert un secret. À l'école, en effet, personne ne savait que la prof d'éduc sortait avec l'enseignant de la 5ᵉ A ! Et puis, ce baiser… Quand j'étais petite et que je surprenais mes parents qui s'embrassaient langoureusement, ça me rendait heureuse qu'ils s'aiment mais, je l'avoue, aussi un peu dégoûtée à l'idée de ces baisers d'adultes si intimes…

Aujourd'hui, j'avais beau essayer de penser à autre chose, impossible. Je me suis demandé si, la première fois que j'embrasserais un garçon sur la bouche, je serais à la hauteur. Si je réussirais à embrasser convenablement et à respirer en même temps ? D'ailleurs, comment les deux bouches tiennent-elles ensemble ? Ça arrive qu'elles se décollent dans un horrible bruit de succion ? Ce serait tellement gênant… Sans compter qu'avec des broches, ça doit encore compliquer l'opération. Une image horrible m'a traversé l'esprit : deux appareils orthodontiques se prenant ensemble et du coup les malchanceux à qui ça arrive sont dans l'impossibilité de se détacher l'un de l'autre ! Mais il y a de fortes chances que je sois débarrassée de mon appareil orthodontique (ce sera le cas lorsque j'aurai 13 ans) avant de connaître mon premier baiser d'amour.

Concernant les deux plus jeunes profs de l'école, pas question d'ébruiter la nouvelle et de les plonger dans l'embarras. Mais j'allais quand même mettre quelqu'un au courant de leurs amours clandestines. Tu devines qui, cher journal ? Oui, ma meilleure amie. Comme elle sait garder sa langue, personne d'autre n'apprendra le secret que je détiens bien malgré moi.

19 h 55. Après le souper et ma douche, j'ai essayé d'appeler Marie-Ève mais sans succès. Ensuite, j'ai envoyé un courriel à mamie Juliette pour lui souhaiter un bon anniversaire. En fait, c'est demain qu'elle aura 65 ans. Cependant, avec le décalage horaire, quand on reviendra de l'école, il sera déjà 21 h 30 en Belgique. Et il y a de grandes chances que mamie ne réponde pas aux appels par Skype et même qu'elle éteigne son portable. Aux dernières nouvelles, elle file toujours le parfait amour avec Esteban ! Du coup, j'imagine que pour l'occasion, le bel Andalou va inviter sa Juliette à manger une paëlla ou à danser le tango.

Je te laisse, cher journal, car avant d'aller dormir, j'ai envie de commencer *Les mustangs sauvages*.

20 h 43. C'est à regret que, après le 3e chapitre, j'ai refermé mon livre. Il est tellement bon ! Mais demain, j'ai la ferme intention de me lever dès que le réveil sonnera, pour arriver tôt à l'école (c'est ma sœur qui va être contente !). Je tiens à avoir le temps de parler à Marie-Ève avant qu'on ne monte en classe. Donc, j'ai voulu aller dire bonsoir à mes parents, en bas. Ils devaient se trouver dans le salon puisque j'entendais de la musique jazz qui y jouait en sourdine. Je descendais l'escalier quand, par la porte vitrée, je

les ai aperçus. Debout au milieu du salon, ils étaient tendrement enlacés. Ma parole, ils dansaient un slow ! Alors, pour ne pas les déranger, je suis retournée dans ma chambre sur la pointe des pieds. Dire qu'à pareille date, l'an dernier (je m'en souviens car c'était juste avant la Saint-Valentin), ma sœur et moi on craignait que nos parents se séparent... En fait, ils étaient seulement épuisés parce que bébé Zoé les réveillait toutes les nuits. Et du coup, ils n'avaient plus aucune patience l'un envers l'autre. Aujourd'hui, même s'il arrive (ce qui est tout à fait normal) à mon père et ma mère de ne pas être d'accord, je réalise qu'ils s'aiment profondément.

## Jeudi 10 février

Lorsque Marie-Ève est arrivée dans la cour, elle s'est tout de suite dirigée vers moi sous notre érable. Deux minutes plus tard, Éléonore est venue la trouver. Cette fois, elle m'a gentiment saluée et ne m'a pas tenu à l'écart de leur conversation. Même si l'ambiance chez elle n'est pas terrible, comme on peut se l'imaginer, ça va quand même mieux depuis avant-hier. Ses parents se sont parlé et du coup, ils se sont calmés. Ils ont convenu de régler leur divorce à l'amiable et prendront rendez-vous chez un médiateur. La maison sera vendue. Au moins, Éléonore n'y était pas trop attachée puisqu'elle et ses parents ont emménagé là-bas il y a à peine un an et demi. Éléonore essaye de se résigner à l'idée qu'elle vivra bientôt une semaine chez son père et une semaine chez sa mère & l'amoureux de celle-ci. Elle connaît ce dernier. Il s'appelle Jérémie et elle l'a toujours trouvé très sympathique, du moins jusqu'il y a trois jours… Depuis qu'il a fait basculer leur vie familiale, elle n'est plus sûre de l'aimer. Elle en veut aussi à sa mère.

– Je ne sais plus où j'en suis…, nous a-t-elle avoué.

Marie-Ève lui a dit doucement :

– C'est normal de traverser toutes ces émotions pêle-mêle. J'ai vécu ça, moi aussi. On a l'impression que notre monde s'écroule. Mais passé les premiers temps si chaotiques, on se rebâtit une belle vie. L'important, c'est de pouvoir exprimer ce que tu ressens.

La cloche a sonné. Avant de rejoindre son groupe de 5e A, Léo a dit :

– Grâce à toi, Marie-Ève, je ne me sens plus seule au monde. Merci ! Et bonne journée, les filles.

– Bonne journée à toi, Éléonore ! lui ai-je lancé à mon tour.

Ma meilleure amie avait mis son sac sur son épaule.

– Tu viens, Alice ?

– Attends un instant, Marie. J'ai quelque chose à te dire.

Et je lui ai révélé ce dont je brûlais de lui parler. Comme moi la veille, elle est tombée des nues.

– Monsieur Gauthier et madame Duval ?!!! Tu es sûre que c'était eux ?

– Sûre et certaine.

– Et ils s'embrassaient ?!

– Oui, ai-je répondu. Et pas à peu près.

Elle était tellement stupéfaite que cette fois, c'est moi qui ai dû lui dire : +

– Tu viens, Marie ? On en reparlera à la récréation. Mais il s'agira d'être discrètes.

En montant l'escalier, on a croisé Julien Gauthier sur le palier du 2ᵉ étage. Il nous a salués gentiment. Gigi Foster l'a interpellé :

– Monsieur, Alice colporte des mensonges sur votre compte !

Quoi, cette espionne avait surpris LE SECRET !

– C'est pas vrai !!! me suis-je défendue. Je n'ai pas menti !

L'unique prof masculin de l'école des Érables m'a considérée d'un air étonné. Puis il a questionné JJF.

– Des mensonges à propos de quoi ?

– Cette fille dit à tout le monde qu'elle vous a vu embrasser Kim Duval. Je suis sûre qu'elle invente ça pour se rendre intéressante.

– Tu sais bien, Gigi, qu'Alice ne raconte jamais de salades, a glissé Catherine Provencher.

Moi, j'ai baissé les yeux. J'étais tellement gênée que j'aurais voulu disparaître. À la place, j'ai senti que mes joues s'étaient empourprées. J'ai tout de même eu le courage de rétorquer à cette peste :

– Je ne l'ai pas dit à tout le monde ! Je viens seulement de confier ce que j'avais vu à Marie-Ève, alors que nous étions juste toutes les deux. Je ne comprends d'ailleurs pas comment tu as pu surprendre notre conversation.

Relevant les yeux vers l'enseignant, je lui ai expliqué :

– Hier, en revenant à la maison, je vous ai aperçu avec madame Duval à l'arrêt d'autobus… Désolée.

Je me sentais tellement mal que j'ai dû me retenir pour ne pas pleurer.

Le visage de monsieur Gauthier s'est éclairci. Il n'a pu s'empêcher de sourire.

– Ne t'en fais pas, Alice, tu n'as rien fait de mal. Kim Duval et moi sommes amoureux, c'est vrai. Même si nous avons toujours été discrets à l'école, je me doutais que l'affaire finirait un jour par se savoir. Ce jour est arrivé et, ma foi, c'est sans doute mieux comme ça.

Puis, il s'est adressé à celle qui avait causé cet esclandre :

– Quant à toi, Gigi, tu continues à rapporter ?! Il est plus que temps de changer de comportement. N'oublie pas que, dans quelques mois, tu seras au secondaire.

Et toc dans les gencives !

– Bon, maintenant, les amis, je dois rejoindre mes élèves ! a lancé monsieur Gauthier. Bonne journée !


Comme tu peux te l'imaginer, cher journal, à la récré, l'idylle entre la prof d'éduc et le prof de la 5$^e$ A était le seul sujet sur toutes les lèvres.

– Jamais je ne me serais doutée qu'il sortait avec elle ! s'est écriée Jade.

– Maintenant que je le sais, moi ça ne m'étonne pas, a déclaré Catherine Provencher. Ils se sont toujours bien entendus, ces deux-là ! Et tu te souviens, Alice, de la fois où, au cinéma, tu avais cru apercevoir Kim Duval dans la foule, à côté de monsieur Gauthier ?

– Oui, je m'en rappelle, maintenant !

– Ça aurait dû nous mettre la puce à l'oreille.

– C'est vrai. Mais il faut quand même avouer que c'est surprenant, des profs qui tombent amoureux…

– C'est pas la première fois que des collègues de travail s'éprennent l'un de l'autre, a rétorqué Marie-Ève. Mon père et sa blonde se sont eux aussi rencontrés au travail.

– Mais ce ne sont pas des enseignants, a fait remarquer Éléonore.

– Les enseignants aussi ont le droit de vivre leur vie ! a dit Emma.

Catherine Frontenac a suggéré :

– Monsieur Gauthier qui aime les couleurs vitaminées a peut-être été attiré par les cheveux orange de madame Duval.

– Ou par ses cheveux bleus, ai-je renchéri. L'an dernier, tu te souviens, c'était en bleu qu'elle les avait teints. Même si c'est aujourd'hui que leur amour est dévoilé au grand jour, ils se fréquentent peut-être depuis longtemps.

– Avec un sportif et un amateur de basketball et de ski de fond comme Julien Gauthier, Kim Duval doit être comblée ! s'est exclamée Africa.

Décidément, cher journal, Kim & Julien sont on ne peut mieux assortis ! *L'amour, toujours l'amour* !

Après l'heure du lunch, le sujet du jour a continué à alimenter les conversations. Violette s'est inquiétée.

– J'espère que le fait que tout le monde soit au courant, maintenant, ne va pas leur occasionner de problèmes.

– Quel genre de problèmes?! a demandé CF.

– Avec le directeur, par exemple.

– Ça m'étonnerait que monsieur Rivet soit scandalisé. Il est d'un naturel calme et compréhensif. Ils n'ont pas commis un crime, quand même!

J'ai découvert que je n'étais pas la seule à me questionner sur le mode d'emploi des baisers sur la bouche. Audrey a abordé le sujet. Catherine Frontenac a répondu qu'embrasser son amoureux n'avait rien de compliqué. C'était au contraire tout naturel, quand on s'aime.

– T'as lu ça sur Internet? l'a interrogée Kelly-Ann.

– Non, mais Noah et moi, on s'est embrassés la semaine dernière.

On s'est regardées, à la fois stupéfaites et épatées.

– Tu le revois bientôt? a fait Audrey.

– Oui, dimanche!

Et au sourire qui a illuminé le visage de CF, je me suis dit que non seulement ça devait être simple d'embrasser sur la bouche, mais aussi très agréable! Moi, je ne sais pas quand ça m'arrivera pour la première fois. Mais en attendant, me voilà rassurée: il ne s'agit pas d'un sport extrême!

En fin d'après-midi, après t'avoir écrit, cher journal, je venais d'ouvrir mon manuel de maths quand le téléphone a sonné. C'était monsieur Bergeron. Il m'a demandé si je pouvais aller prendre Marie-Capucine et Jean-Sébastien à la garderie. Sa femme est en voyage d'affaires. Lui revenait de Québec dans le blizzard. Même s'il était parti à 14 h, il n'était pas encore à Trois-Rivières. Jamais il n'arriverait à la garderie avant l'heure de fermeture. J'ai accepté de le dépanner. Soulagé, il m'a confirmé qu'il appellerait là-bas pour signaler que c'était moi qui passerais les prendre.

Tant qu'à me rendre à la garderie, j'avais envie de ramener Zoé avec moi. J'ai donc prévenu maman qui était d'accord, à condition que Caroline m'accompagne. Selon elle, on ne serait pas trop de deux « grandes » pour s'occuper des trois petits. J'ai emporté le traîneau…

Lorsqu'on est arrivées à la garderie, Caroline s'est dirigée vers le local des Explorateurs tandis que je suis allée récupérer Jean-Sébastien chez les Bambinos puis sa sœur chez les Joyeux Lurons. Sur le chemin du retour, la vaillante Caro a tiré Zoé et J.-S. sur le trottoir enneigé. Très fière de se retrouver dans le traîneau devant Jean-Sébastien, notre bébé chéri n'a pas bronché. Marie-Capucine, par contre, était d'une humeur massacrante. Je lui ai proposé :
– Tu veux t'installer à l'arrière du traîneau ?
– Non. Ze suis grande, moi. Je veux marsser !
– Tu es triste parce que ton papa n'a pas pu venir te chercher ?
– Pas du tout !
– Mais alors, pourquoi tu boudes ?
– Ze boude pas, ze suis furieuse ! Sassa refuse de m'épouser !
– C'est qui Sassa ? Une fille ? lui ai-je demandé. *Gloups !*

Marie-Capucine m'a regardée comme si j'étais profondément débile.

– Mais non, un garçon! Il est dans le groupe des Zoyeux Lurons, lui aussi!

– Et il s'appelle Sassa?!

– Pas Sassa. Sa-Ssa.

Ça ne servait à rien de discuter plus longtemps. Et dans le fond, je me fichais éperdument que Marie-Capucine soit amoureuse de Sassa, de Sissi ou de Soussou...

– Sassa est peut-être trop jeune pour penser au mariage? ai-je avancé prudemment.

– Sa-Ssa, m'a-t-elle corrigée une fois de plus en me fusillant du regard. Sassa, il a dit qu'il préférait rester toute sa vie avec sa maman!

– Plus tard, si jamais vous vous retrouvez à l'université, il changera peut-être d'avis.

– Ce sera trop tard! Sassa veut pas se marier avec moi?! Tant pis pour lui! Même si un zour il me supplie à zenoux de l'épouser, ce sera non. Non! Non! Non!

À chaque «non!», Marie-Capucine, qui avait ramassé un bâton, fouettait la haie couverte de neige qui bordait le trottoir.

## L'amour en péril...

Heureusement, à la maison, la brave Cannelle lui a fait oublier sa déconvenue en l'accueillant chaleureusement. Son père est arrivé juste avant qu'on passe à table. Dès qu'elle l'a aperçu, elle a recommencé à faire la baboune. Il lui a demandé ce qui n'allait pas.

– C'est à cause de Sassa !

– Qu'est-ce qu'il t'a fait, Sacha ?

TILT ! L'amoureux de Marie-Caprices qui a commis l'affront de refuser sa demande en mariage s'appelle Sacha ! À part ça, monsieur Bergeron m'a donné 25 $. Voilà qui va renflouer ma tirelire.

## Vendredi 11 février

Papa, qui avait un rhume depuis quelques jours, s'est levé avec un gros mal de tête. Ça tombe mal, car il a une réunion importante avec sa *boss*. Le pauvre !

J'étais la première à arriver sous l'érable ce matin. Mon regard est tombé sur le cœur gravé dans l'écorce de l'arbre. Karim… tu me manques !

Après la récré, on fourrait notre attirail de neige dans les casiers quand tic-tic-tic-tic-tic, Cruella a fait son apparition dans le couloir. En effet, les 6ᵉ A ont anglais le vendredi. Sans même saluer madame Robinson, elle l'a prise à partie :

– Le saviez-vous, vous, que monsieur Gauthier fréquentait madame Duval ?!

– Oui, et je suis heureuse pour eux, a répondu notre prof en souriant. Ils forment un couple bien assorti, vous ne trouvez pas, Pétula ?

– Quoi ?! a coassé Cruella, la voix vibrante d'indignation. Mais draguer une enseignante… Pensez-y un instant, Fanny, c'est, c'est… *My goodness !* Je n'en reviens pas !

Portant la main à son cœur d'une façon théâtrale, elle a lancé :

– *I'm shocking!*

Sur ce, elle s'est engouffrée dans la classe des 6ᵉ A. Petrus, Simon, Ilhan, Éléonore et les autres sont entrés à sa suite, la tête basse. Les pauvres, je les plaignais.


– Monsieur Gauthier n'a pas nécessairement tourné autour de madame Duval, a commenté Catherine Provencher en refermant son casier. Ça se peut qu'ils aient eu un coup de foudre il y a un an et demi, quand il a commencé à enseigner à l'école.

Marie-Ève a hoché le menton :

– Si c'est le cas, ils ont bien caché leur jeu !

– Ou alors, c'est Kim Duval qui a dragué Julien Gauthier, a suggéré Gigi Foster.

– On ne sait jamais, a reconnu Jade. Tu as raison, Gigi, c'est pas toujours les gars qui font le premier pas.

Sur ce, madame Robinson est apparue à la porte.

– Allez les filles, on rentre en classe !


En sortant de la cafétéria, ce midi, on a croisé monsieur Gauthier dans le couloir. Il épinglait une feuille sur le babillard. Plusieurs d'entre nous l'ont entouré : on voulait voir ce qu'il venait d'afficher. Violette a gémi :

– Aïe ! Jonathan, arrête de pousser !

– C'est quoi, tous ces cœurs ? a demandé Emma en désignant l'article de journal dont le titre était : « Des cœurs sur Mars ». On les trouve sur la planète Mars ?!

En effet, l'article était illustré par plusieurs photos de cœurs qui semblaient gravés dans la pierre ou tracés dans le sable.

– Exactement, a répondu le prof.

– Hein! a fait Jonathan, émerveillé. Ce sont des Martiens qui les ont dessinés?

Patrick Drolet a ricané.

– Bien sûr, Joey, a-t-il répondu d'un ton sarcastique. Les habitants de la planète Mars souhaitent chaque année une bonne Saint-Valentin à leurs voisins de la Terre!

– Wow! Ils sont cool, les Martiens! Et pacifiques! Ils ne risquent pas de nous embarquer dans une guerre des étoiles.

– Très cool, en effet! a poursuivi Pat sur le même ton. Il faut dire qu'ils vivent sur cette grande planète rouge, rouge comme l'amour!

Monsieur Gauthier, qui regardait le clown de notre classe avec le sourire aux lèvres, mais en secouant la tête comme s'il faisait non, est intervenu:

– Patrick, je constate que tu es toujours le roi des blagueurs! En passant, je te rappelle que Mars n'est pas une grande planète: elle est deux fois plus petite que la Terre.

Puis, se tournant vers Jonathan, il lui a expliqué que même si on avait décelé des traces de vie sur la planète rouge, personne n'y habitait. Il a poursuivi:

– Ces cœurs qui ont l'air d'avoir été sculptés sont en réalité des formations géologiques. Leur jolie forme est uniquement due au hasard. En fait, elles sont le résultat de phénomènes naturels comme l'affaissement du sol, l'érosion par le vent ou encore l'écoulement de l'eau.

– Il y a de l'eau sur Mars ? s'est étonné Simon qui se tenait à côté de Marie-Ève.

– Oui, sous forme de glace, t'en souviens-tu ? Mais il y a très longtemps, la surface de la planète était plus chaude et l'eau y coulait librement.

– La planète Mars se trouve loin d'ici ? a demandé Eduardo.

– Vraiment très loin ! a répondu monsieur Univers. Cette distance se modifie selon les positions des deux planètes. Elle varie entre 56 et 400 millions de kilomètres.

– Incroyable ! s'est exclamée Africa. Et pourtant, les photos sont si claires qu'on dirait que je les ai prises avec mon iPod.

Bohumil a demandé si ces images avaient été captées par une sonde spatiale.

– Oui. Grâce à la caméra Mars Global Surveyor. Qui se rappelle pourquoi la planète Mars est rouge ?

– À cause de la grande quantité de fer présente dans le sol, ai-je répondu, me souvenant de la leçon au cours de laquelle monsieur Gauthier nous avait parlé des planètes du système solaire.

– D'oxyde de fer, a précisé Bohu.

– Bravo, les amis ! Bon, j'adore discuter d'astronomie avec vous, mais je dois aller parler à monsieur Rivet. Et vous, allez vite profiter du soleil ! À la prochaine !

Une fois dans la cour, Jonathan a levé la tête et a adressé de grands signes de bonjour au ciel.

– Merci pour vos cœurs, les Martiens ! a-t-il crié joyeusement. Et bonne Saint-Valentin à vous aussi !

Ce soir, poupou se traînait comme une âme en peine. Apparemment, la réunion avec Sabine Weissmuller l'avait achevé. Bref, alors que je mettais la table, il nous a annoncé qu'il allait se coucher.

– Mange au moins une pointe de tarte aux tomates, chéri. Je m'apprête à la sortir du four.

– Merci, mon cœur, mais je n'ai pas faim. Tout ce que je veux, c'est dormir.

À cet instant, le téléphone a sonné, et mon père qui passait à côté a répondu. En écoutant son interlocuteur, il a commencé par lever les yeux au ciel. Puis une lueur inquiétante est passée dans son regard et mon gentil papa a affiché un sourire carnassier. Pourtant, c'est d'un ton mielleux qu'il a déclaré :

– Une table pour deux personnes, lundi soir ? Très bien, c'est noté, monsieur.

– ...............................................

– Il n'y a pas de quoi, monsieur. Bonsoir, monsieur.
Puis il a raccroché.

– C'était encore pour le *Papagallo* ? a demandé Caro.
Papa a soupiré.

– Oui.

– Voyons, Marc ! s'est indignée maman en déposant la tarte aux tomates sur la table. Tu n'as quand même pas fait semblant de prendre la réservation ?!

– Eh bien oui, Astrid, je l'ai fait. On a été patients mais tout à coup, j'en ai ras-le-bol des coups de fil pour le *Papagallo* !

– Mais poupou, lundi, c'est la Saint-Valentin! me suis-je exclamée. Tu vas leur gâcher leur soirée, à ces amoureux!

– Pas nécessairement. Je crois plutôt que ce sera un test. Finalement, je leur rends un fier service!

– Comment ça?!

– Si leur relation est solide, la déception de trouver le restaurant complet et de ne pas pouvoir y passer la soirée en tête-à-tête n'aura pas d'importance. Ils iront souper ailleurs.

– Tu penses bien, chéri, que pour la soirée de la Saint-Valentin, il faut réserver! La plupart des restaurants affichent complet pour l'occasion.

– Écoute, Astrid, au pire, ces gens retourneront chez eux. Ils mitonneront une bonne petite omelette qu'ils dégusteront en amoureux, à la lueur des chandelles. Ce sera plus romantique que de passer la soirée dans une salle bondée. Mais si leur couple bat de l'aile, ils se disputeront devant le *Papagallo* et se sépareront là, sur le trottoir. Ça leur évitera de dépenser beaucoup d'argent pour se marier et encore plus pour divorcer.

– Chéri, tu es vraiment sarcastique! Je ne te reconnais plus.

– Ne fais plus jamais ça, papa!

– Promis, Alice. C'est vrai que ce n'est pas très gentil…

Et il est parti au lit.


Maman s'est dirigée vers le téléphone. Sur l'afficheur, elle a trouvé le numéro du client du *Papagallo* et l'a composé. Quand l'homme a décroché, elle lui a expliqué qu'il n'avait pas joint le bon numéro et qu'il n'y avait donc pas de réservation à son nom. Caro et moi, on était contentes qu'elle ait pris les choses en main. D'accord, ça nous embête que les gens se trompent parfois d'un chiffre et tombent sur nous plutôt que sur ce resto. Et oui, nous les filles de la famille, on aime rire aussi, mais pas faire de mauvaises blagues.

## Samedi 12 février

Ce matin, papa n'allait pas mieux. D'après lui, il a une sinusite. Maman l'a déposé à la clinique. Ensuite, elle est venue nous rechercher, mes sœurs et moi, pour nous emmener chez Cindy (c'est uniquement Caro et moi qui avons besoin de faire égaliser nos cheveux, mais on ne peut pas laisser Zouzou seule à la maison). Bref, en arrivant dans le salon de coiffure, il y avait une cliente à la caisse dont la mise en plis était impeccable. Madame Baldini! Caro et moi, on est allées l'embrasser. Ça faisait une éternité qu'on ne l'avait pas vue.

– Comment allez-vous? lui a demandé maman.

– Très bien, Astrid, merci! Imaginez-vous qu'aujourd'hui, Roberto et moi nous fêtons nos 50 ans de mariage.

– Oh, félicitations, madame Baldini! s'est écriée maman en l'embrassant à son tour. Avez-vous prévu quelque chose de spécial afin de souligner ce bel événement?

– Oui, notre fils, notre belle-fille et nos petits-fils arriveront de Toronto vers 13 h. Nous avons réservé une salle dans un restaurant du quartier italien pour ce soir. Avec nos amis, nous serons 28 en tout. *Il papagallo*, vous

*Le 42, rue Isidore-Bottine n'est pas un restaurant. Qu'on se le dise une bonne fois pour toutes!*

connaissez? Ils font le meilleur spaghetti à la carbonara de tout Montréal! Sans parler de leur osso-buco!

Se méprenant sur notre air ahuri, notre adorable voisine a précisé:

– *Il papagallo* signifie «le perroquet» en italien.

Les joues roses et les yeux pétillants, madame Baldini a poursuivi:

– Et ce n'est pas tout! Ce matin, Roberto m'a remis une enveloppe. Dedans, j'y ai trouvé deux billets d'avion pour Venise! C'est là que nous avons passé notre voyage de noces et je rêvais un jour d'y retourner. Nous partirons là-bas dans deux mois.

*Cher journal, les Baldini ont beau être âgés (ils ont au moins 10 ans de plus que mes grands-parents), leurs sentiments l'un pour l'autre n'ont pas pris une ride! Trop cute!*

Cindy aussi avait quelque chose à nous annoncer: elle attend un bébé! Avec Francis, le coiffeur de son salon. Je ne savais même pas qu'ils étaient ensemble! *Décidément, cher journal, Cupidon ne chôme pas!*

– La naissance est prévue pour quand? a demandé maman.

– Le 15 août.

– Hein! me suis-je exclamée. Moi, je suis née le 15 août!

– C'est vrai?! Alors c'est une date qui nous portera chance. J'aimerais avoir une fille aussi formidable que toi, Alice!

– Euh, merci. Vous savez déjà que c'est une fille?

– Non, ce n'est qu'à la fin du mois de mars que nous connaî-trons le sexe du bébé, lors de l'échographie.

– Ne vous fiez surtout pas à l'échographie ! a lancé Caroline. Nous, on nous avait prédit un petit frère. On avait décidé de l'appeler Zachary mais finalement, c'est Zoé qui est arrivée !

Arrêtant un instant de couper les cheveux de sa cliente, Francis s'est mis à fredonner :

*Zoé est arrivée*

*Sans se presser*

*La belle Zoé*

*La p'tite Zoé...*

Devant mon air étonné, le coiffeur a expliqué que la ver-sion originale était : « Zorro est arrivé... » Sa grand-mère lui chantait ça quand il était petit. « Sans se presser » avait dit Francis dans sa chanson. Eh bien, c'est exactement ça ! Non seulement Zoé n'était pas le garçon annoncé, mais en plus, elle s'était fait attendre pendant plusieurs jours...

Réagissant à ce que Caroline avait déclaré, Cindy a concédé :

– Ça a dû être toute une surprise d'attendre un garçon et d'accoucher d'une fille !

– Effectivement, a dit maman. Mais une très belle surprise.

Et elle a serré sa petite Prunelle contre son cœur.

Moumou a raison, cher journal. Je me rappelle combien, à l'époque, j'étais heureuse à l'idée d'avoir bientôt un frère. Mais dès l'instant où j'ai tenu ma petite sœur dans mes bras, pour rien au monde je ne l'aurais échangée contre un autre bébé.

En arrivant à la maison, le système d'alarme n'était pas mis. Ça signifiait que papa était rentré. Déjà?! On l'a retrouvé dans son lit. Découragé par la file d'attente à la clinique médicale, il était revenu à pied malgré le froid. Le pauvre, il faisait vraiment pitié.

Cet après-midi, Petrus m'a invitée à venir jouer au ping-pong. Après s'être échauffés, on a disputé plusieurs matchs. Je joue de mieux en mieux, cher journal, et on s'amuse comme des fous. J'adore le ping-pong!

Tout à coup, je mourais de soif. Quand je suis arrivée dans la cuisine pour prendre un verre d'eau, Theo Koopman se trouvait là. Il m'a saluée puis m'a demandé comment allaient mes parents.

– Ma mère va bien, merci. Mais mon père a une sinusite.

– Il a vu le médecin?

– Il y avait un monde dingue à la clinique, ce matin. Alors, il est revenu à la maison et s'est mis au lit.

Monsieur Koopman a dit:

– Je pourrais peut-être le soigner.

– Vous savez guérir une sinusite?!

– Oui, l'acupuncture donne de bons résultats avec la sinusite. Sans avoir besoin de recourir aux antibiotiques.

– J'expliquerai ça à mon père, tout à l'heure.

– Si ça l'intéresse, il n'a qu'à m'appeler. Je le recevrai immédiatement.

– Tout compte fait, est-ce que je peux lui téléphoner pour le lui proposer? ai-je demandé à monsieur Koopman.

– Bien sûr, Alice!

Poupou était prêt à tout pour se débarrasser de son mal de tête. Dix minutes plus tard, il a sonné chez les Koopman-Vallée. Theo l'a fait entrer dans une pièce à côté du salon: son bureau d'acupuncteur. Petrus et moi, on est retournés jouer au ping-pong.

Lorsqu'on est remontés du sous-sol, une heure plus tard, papa sortait de «l'antre de l'acupuncteur». Il a demandé combien il devait à Theo et ce dernier a répondu:
– Rien du tout. Ça me fait plaisir de soigner mon voisin.
Comme c'est gentil! Mon père et moi, on est rentrés à la maison. Je l'ai interrogé:
– Il en a utilisé beaucoup, des aiguilles?
– Une vingtaine environ. Quatre près du nez, une sur le front et d'autres encore sur mes mains, mes poignets et mes jambes.
Horreur absolue!!!
– Ça t'a fait mal?
– Non. Chaque fois que Theo plantait une aiguille, je sentais comme une piqûre de moustique, puis plus rien.

J'espère que je n'attraperai jamais de sinusite, cher journal. Car, même si l'acupuncture est efficace (d'après le père de Petrus) et pas du tout douloureuse (d'après papa), je n'ai aucune envie qu'on transforme ma tête en une pelote d'épingles! Sans compter le reste du corps. Je ne suis pas un fakir, moi! (En réalité, j'ai très peur des piqûres.)

Devine ce que j'ai trouvé ce soir dans la boîte de réception de l'ordi, cher journal? Tu veux un indice: je ne m'y attendais plus. Non, malheureusement, pas un courriel de Karim… Bon, tu donnes ta langue au chat? Mamie avait envoyé une photo d'elle et de son amoureux. Le voilà enfin, ce mystérieux Esteban! C'est un homme élégant et souriant, et qui tient amoureusement sa Juliette contre lui. Dans son courriel, mamie raconte qu'elle est en train de réaliser un vieux rêve: en effet, elle souhaitait depuis longtemps apprendre l'espagnol. Alors, avec Esteban, c'est un peu comme si elle avait des cours privés. «Avec l'amour en prime», ai-je pensé. *La vida es bella*!

J'ai appelé le reste de la famille.
– Qui veut voir Estebaaan? Mamie nous a envoyé une photooo!

Papa dormait déjà (oupsie…) mais Caroline et maman se sont précipitées dans le bureau. Maman s'est exclamée:
– Il est exactement comme je l'avais imaginé!

Ma sœur nous a fait voter: «Pensez-vous que le bel Espagnol restera longtemps dans la vie de mamie?» Et à l'unanimité, on a dit «oui». Évidemment, ça ne garantit rien. Mais ils ont l'air vraiment bien ensemble.


## Dimanche 13 février

Après avoir dormi 12 h d'affilée, papa a déclaré qu'il se sentait beaucoup mieux. Comme c'était une belle journée, on est allés faire du ski de fond au parc-nature du Bois-de-Liesse. Sur la piste du lièvre (elle s'appelle comme ça), il y a une grande descente. Youhouuuuuu! Vers la fin du parcours, il a commencé à neiger. C'était l'heure de pique-niquer au chalet. Après, il était temps qu'on rentre car la neige tombait de plus belle. Une fois à la maison, on s'est fait un bon chocolat chaud puis papa et Zoé sont montés faire une sieste. Maman, Caro et moi, on s'est installées au salon pour bouquiner. J'ai continué le dernier tome de la série *Passion équitation*.

19 h 23. La tempête de neige battait son plein et moi, vautrée sur mon lit, j'écoutais les Tonic Boys. Tout à coup, mon cœur s'est serré quand la voix chaude de Tom Thomas a entonné le refrain :
*Oh baby, baby, you're far away and I miss you…*
*I miss you*
*I miss you so, my love*
Au bord des larmes, j'ai murmuré :
– *Karim, I miss you!*
Dehors, comme un écho moqueur, le vent sifflait *Youhouuu*… Snif. Et dire que demain, c'est la Saint-Valentin. J'aurais aimé voir le garçon que j'aime. Pas juste sur Skype, non, mais en chair et en os. Pour me changer les idées avant de dormir, je vais me replonger dans les aventures de Kenza. J'admire cette fille de 15 ans qui a un cœur grand comme ça et du courage à revendre. Elle n'a pas une vie facile, elle qui habite avec sa mère à Cheyenne durant l'année scolaire et qui ne voit son père que pendant les

vacances (il travaille comme gardien au parc national de Yellowstone). Heureusement, Kenza peut compter sur :

♥ Kyle, son jumeau cosmique comme elle dit, car ils sont nés le même jour !

♥ Natane, sa meilleure amie dont la mère est amérindienne.

♥ Et Sandy, bien sûr, sa fidèle et merveilleuse jument.

## Lundi 14 février

Il était très tard hier soir quand j'ai eu fini *Les mustangs sauvages*. Vers 21 h, mes parents étaient venus m'embrasser et éteindre la lumière. Mais comme le passage que je lisais était palpitant, je ne pouvais pas en rester là. Alors, j'ai poursuivi ma lecture à l'aide de ma lampe de poche. Quand j'ai commencé à bâiller, je me suis dit qu'à la fin du chapitre suivant, je glisserais mon signet dans le livre et j'éteindrais ma lampe de poche. Mais ça n'a pas fonctionné. En effet, j'étais si captivée par l'histoire que je ne pouvais m'empêcher de jeter un coup d'œil aux premières lignes du nouveau chapitre, juste pour savoir comment il commençait. Ensuite, impossible de m'arrêter… Alors je dévorais ce chapitre-là également. Les dernières pages, j'ai dû lutter contre le sommeil car mes yeux se fermaient tout seuls. Mais rassurée sur le sort du troupeau de mustangs sauvages, je me suis endormie le cœur en paix.

Lorsque le réveil a sonné, Caroline m'a houspillée :

– Dépêche, Alice ! J'ai hâte de donner ma carte de Saint-Valentin à Jimmy !

Quand on est sorties, le ciel était bleu. La chenillette venait de dégager le trottoir mais sinon, la couche de neige qui recouvrait les jardins m'arrivait à la taille ! On a croisé Africa et c'est à trois qu'on a poursuivi notre route. Soudain, au coin de la rue, j'ai aperçu… C'était un mirage, ou quoi ?! Un grand cœur fraîchement dessiné dans la neige, devant une haie. Avec à gauche, tracée dans la neige elle aussi, la lettre K. Et à droite, un A. Mon cœur à moi s'est gonflé de bonheur. J'ai espéré qu'Africa et Caroline ne remarquent rien. Raté, car ma sœur voit TOUT ! Elle s'est écriée :

– Oh, regarde, Alice ! Un cœur de Saint-Valentin pour toi !

– Mais non, ai-je protesté en haussant les épaules.

– Bien sûr que si ! Karim était amoureux de toi quand il était dans ta classe. Et ce n'est sans doute pas fini puisque tu lui parles par Skype.

– Ça fait une éternité qu'on ne s'est pas parlé. Et puis, comment veux-tu que Karim ait dessiné ce message à distance ? Je te rappelle qu'il vit au Liban.

– Avec le pouvoir de l'amour, on ne sait jamais.

Le pouvoir de l'amour… Non mais, à 8 ans et demi, qu'est-ce qu'elle en sait, ma p'tite sœur ? Bon, je dois reconnaître qu'elle et Jimmy s'aiment depuis le premier jour de la maternelle.

– Tu as raison, Caroline, a gentiment renchéri Africa. Il y a un proverbe qui dit que la force de l'amour permet de déplacer des montagnes. Alors, pourquoi pas de tracer un cœur à distance ?

La neige étincelait au soleil, comme si elle était saupoudrée de poussière de diamant. Et au milieu, ce cœur si parfait… J'aurais voulu le photographier mais je n'avais pas mon iPod avec moi. Africa, qui devait lire dans mes pensées, a sorti le sien de sa poche et l'a pris en photo.

Se remettant en marche, Caroline a insisté :
– Tu lui demanderas, à Karim, si ce message vient bien de lui !
– Voyons Caro, ça n'a aucun sens !
– Comme ça au moins, tu en auras le cœur net.
Sentant ma gêne, mon amie a habilement détourné la conversation en demandant à ma sœur quel portrait de prof elle nous préparait pour le prochain numéro de *L'Écho des Érables.* Moi, mon cœur battait la chamade. Et en même temps, je me réjouissais que Gigi Foster ne passe pas par cette rue pour se rendre à l'école.

En arrivant, Africa et moi, on est allées retrouver Marie-Ève et Audrey sous l'érable. Afri ne leur a rien dit à propos de ce que nous avions vu. Je lui en étais reconnaissante et du coup, toute la journée, j'ai eu envie de garder ça pour moi. Car je dois te l'avouer, cher journal, dès l'instant où je l'ai aperçu, ce 🩶 m'a touchée droit au cœur. Le mien ne s'embarrassait pas de questions terre à terre comme la distance séparant Beyrouth de Montréal ou le fait que c'est sans doute Kosta (dans la classe de ma sœur), Kevin (en 5ᵉ année), Khadija (en 5ᵉ, elle aussi) ou même Kristelle (en 4ᵉ), qui avait tracé ce message. Mon cœur était comme ma sœur, il croyait à la magie de l'amour. Cette déclaration d'amour m'était destinée, point à la ligne.

Quitte à me bercer d'illusions, j'ai flotté toute la journée. Je me sentais légère, heureuse et amoureuse et n'étais pas pressée de descendre de mon petit nuage. De toute façon, il était hors de question de demander à Karim, qui ne daigne même plus me répondre, s'il s'agissait bien d'un message pour moi. Il me prendrait pour une folle ! Je raconterai tout ça demain à Marie-Ève. Pas à l'école mais le soir, au téléphone. Je n'ai aucune envie que JJF surprenne notre conversation et ridiculise mes sentiments pour Karim.

En parlant de Marie-Ève, avant de partir à la récré, elle a glissé une enveloppe dans la poche de son manteau. Une fois dans la cour, Simon s'est approché de nous.
– Peux-tu venir un instant, Marie-Ève ? lui a-t-il demandé discrètement.
– Bien sûr.
Et ils se sont éloignés.

Lorsque la cloche a sonné le retour en classe, Marie-Ève nous a rejoints, Jade, Violette, Hugo, Bohu, Emma et moi.

Ses yeux brillaient autant que la neige au soleil. En montant l'escalier, elle m'a glissé à l'oreille :

– Ça lui a fait vraiment plaisir, à Simon, que je lui offre une sortie au cinéma. On se rendra là-bas samedi. Puis, quand il a lu ma carte, il était ému. Sans rien dire, il a tiré un minuscule paquet de sa poche.

– Et il contenait quoi ?

– Une chaîne en argent avec un cœur.

– Oh, montre-moi ça, Marie !

– Dans deux minutes, dès que j'aurai enlevé mon manteau, car j'ai attaché la chaîne à mon cou.

*L'amour avec un grand A !*

Après la leçon de maths et la dictée, notre enseignante nous a rassemblés dans le coin lecture.

– Puisque c'est la Saint-Valentin aujourd'hui, nous a-t-elle dit, j'ai envie de partager avec vous un poème qui s'intitule *Le verbe cœur*. Il est de Roger Des Roches et dévoile les états d'âme d'un jeune adolescent rêveur.

Eduardo a pouffé de rire. Joignant les mains comme pour une prière, Patrick a gémi :

– Pitié, madame Robinson, épargnez-nous les guimauves sentimentales !

Gigi Foster a demandé :

– Vous êtes obligée de nous lire *ça* ?

– Obligée, non, Gigi, mais vous, vous allez être obligés de m'écouter. Je réclame le silence et quand j'aurai fini, vous me donnerez votre avis.

Le poème était hyper long, au grand désespoir des Pated, mais moi, je l'ai trouvé magnifique. Plusieurs autres l'ont aimé, et pas juste les filles. J'ai demandé à notre enseignante si je pouvais recopier le début. Voici donc la première page du poème, cher journal.

Regarde :
hier, hier,
après qu'ils ont été enfin partis,
nous laissant seuls au milieu du parc,
comme lancés en plein ciel,
tu as dit :
« La lune ment. »
Tu m'as expliqué pourquoi.
Tu m'as souri
avec tes yeux,
avec tes lèvres qui décidaient
du chaud et du froid,
avec tes mains.
Suivant du regard les serpents
de brume au sol,
tu as parlé de mystère,
de magie
ou de vacances au centre de ton cœur.
Me donnais-tu le droit
de respirer trop vite ?

Qu'est-ce que tu en dis ? C'est beau, non ?

En sortant de l'école, j'étais sûre que le K ♥ A aurait disparu.

– Oh, dommage ! s'est exclamée Caro après avoir tourné le coin de la rue. Quelqu'un a effacé le message d'amour…

En effet, à cet endroit, des élèves avaient dû s'amuser à piétiner la neige.

– Dis, Alice, veux-tu que je te montre ce que Jimmy m'a offert ?

– Bien sûr !

– Un cœur en cristal, a-t-elle expliqué en sortant un petit paquet de sa poche.

En fait, il s'agissait d'un joli porte-clés pour sa collection. Et le plastique imitation cristal était taillé à la façon d'une pierre précieuse, avec de multiples facettes. ♥

À la maison, une pyramide de casseroles sales occupait l'évier. J'ai ouvert le réfrigérateur. À côté des cartons de lait, cinq contenants en plastique étaient empilés les uns sur les autres. Curieuse, j'ai ouvert celui du dessus. Un plat au tofu ! Le second également… Bondissant dans le bureau où Caro tapait un travail à l'ordi, je me suis écriée :

– Devine un peu ce que maman nous a mitonné pour la Saint-Valentin ?

– Une bonne sauce à spaghetti ?

– Raté : un menu complet à base de tofu !

– Tu blagues ou quoi ?!!!!

– Viens voir dans le frigo, si tu ne me crois pas. Moumou a fait d'une pierre deux coups : elle a cuisiné plusieurs de ses recettes pour la séance de photos destinée à son bouquin. Et elle a décidé de nous les refiler pour le souper.

– Elle exagère ! Plutôt me passer de manger que de faire une indigestion de tofu un soir de fête !

– Wouf ! a renchéri Cannelle.

– Rassurez-vous, les filles ! a dit Astrid Vermeulen qu'on n'avait pas entendue rentrer. Vous n'aurez pas besoin de faire la grève de la faim. Les mets au tofu, je les réserve pour notre lunch de demain, à mes collègues et à moi. Pour ce soir, j'avais pensé à des spaghettis sauce bolognaise.

– Sans tofu ? ai-je demandé.

– Sans tofu.

– Youpi, tu réalises mon rêve ! s'est écriée Caroline.

– Tant mieux, Ciboulette ! Toi aussi, Alice, tu votes pour les spaghettis ?

– Tu sais comme j'adore les pâtes, maman ! Et je crois que poupou sera ravi, lui aussi. À part ça, la designer alimentaire et la photographe qui sont chargées d'illustrer ton bouquin ont bien travaillé, aujourd'hui ?

– Oh oui, tout a marché comme sur des roulettes ! Encore trois séances et le graphiste s'attellera à la mise en pages.

– Quand sortira-t-il en librairie, ton livre ? s'est informée ma sœur.

– À la mi-avril. Bon, je vais préparer ma sauce. Qui vient m'aider ?

Une heure plus tard, lorsque papa est arrivé avec la fourgonnette (elle est réparée), la petite Zoé dans ses bras et un bouquet de fleurs à la main, il s'est écrié :

– Mmmm, ça sent bon, ici !

Ses sinus sont débouchés. Ouf, il est guéri. Vive l'acupuncture ! (Du moins, pour les autres…)

Les spaghettis étaient excellents. Après en avoir repris, mon père a demandé s'il y avait un dessert de prévu.

– Certainement, a répondu maman.

Elle a sorti les contenants de tofu du frigo… Puis un autre grand plat qui se trouvait derrière… et qui était rempli de mousse au chocolat ! Garantie, elle aussi, sans la moindre molécule de tofu.

– Astrid, je t'adore ! a déclaré poupou.

Prenant un air coquin, moumou lui a demandé :

– Est-ce moi que tu adores, ou mon dessert-surprise ?

– Les deux !

Ce soir, Africa m'a envoyé la photo du cœur en neige. Comme il est pris à contre-jour, ça ne rend pas aussi bien que dans la réalité. Quand même, Afri est trop gentille !

## Mardi 15 février

Ce matin, au moment où je me levais, Caroline m'a fait deux gros bisous.

– Bon demi-anniversaire, Alice ! m'a-t-elle lancé.

– Quoi ? Que ? Comment ça ?!

– Ben, tu as 11 ans et demi aujourd'hui !

C'est vrai, elle a raison. Plusieurs de mes amis ont déjà 12 ans. Et moi aussi, je m'en vais vers… ma 13e année ! Yé !

*Tu ne le savais pas, cher journal ? Eh oui, il paraît que lorsqu'on a 11 ans, on est dans sa 12e année. Et du coup, le jour de nos 12 ans, on entame notre 13e année.*

D'ailleurs, en m'habillant, j'ai constaté que mes seins ont commencé à pousser. Hein ! Non, je ne rêvais pas. Mais c'est ultra-top secret.

Cet après-midi, Cruella, penchée sur le bureau de Jonathan (juste devant le mien), lui expliquait quelque chose. Moi, tous ces temps irréguliers qu'il fallait recopier, ça me faisait bâiller. Malheur ! Un des élastiques de mes broches en a profité pour jaillir de ma bouche. Devant moi, Cruella a poussé un « Aïe ! ».

Portant vivement la main à son cou, elle s'est tournée vers moi. Aïe aïe aïe, en effet… Mon élastique avait dû atterrir sur elle.

– Qui a fait ça ? a-t-elle demandé. Toi, Alice ?

J'ai pris un air innocent.

– Moi ? Pas du tout, madame ! Je n'ai pas bougé de ma chaise.

Cruella a planté ses yeux dans les miens. Je déteste quand elle fait ça, cher journal. En réalité, ce n'est pas moi qui l'hypnotise mais bien le contraire !

– Tu n'as aucune idée de ce qui m'a piqué ?

– Non, je ne sais pas.

Se courbant vers Audrey, elle lui a demandé si elle voyait quelque chose sur son cou.

– Rien du tout, madame. Ça ne saigne pas.

En l'absence de preuve, Crucru n'a pu m'accuser de l'avoir attaquée en douce. Mais elle n'a plus osé se pencher, le cou sans défense, sur le travail de Joey. Elle est retournée devant la classe. En me tenant à l'œil, comme si j'allais l'attaquer sauvagement. Hi, hi, hi, quand j'y pense, le coup de l'élastique, c'était trop drôle !

En rentrant de l'école, j'ai eu envie de me détendre quelques minutes avant d'entamer mes devoirs. Ça faisait longtemps que je n'avais pas regardé le blogue de Lola Falbala. Hein ! Kevin Esposito l'a demandée en mariage hier !!! À cet instant, la petite musique de Skype s'est fait entendre et la photo de Karim est apparue sur l'écran. Stupéfaite, j'ai cliqué sur l'ordi pour prendre son appel.

Quel bonheur ! Mais zut, Caro se trouvait dans la cuisine. Alors, je suis allée fermer la porte du bureau pour qu'elle n'entende pas notre conversation. On en avait du temps à rattraper, Karim et moi ! Je ne sais pas ce qui m'a pris mais je lui ai raconté qu'hier, près de l'école, quelqu'un avait tracé un grand cœur dans la neige.

– Avec les lettres K et A, ai-je précisé. Du coup, ça m'a fait penser à toi.

– Quelle coïncidence ! a lancé Karim. Il y a un autre Karim qui aime une autre Alice !

Puis il s'est mis à rire avant d'ajouter :

– Mais non, je blague ! Il n'y en a qu'une, d'Alice ! Et le Karim du cœur, c'était moi. C'était ma façon de te souhaiter une bonne Saint-Valentin.

Là, cher journal, je suis tombée des nues. Karim se moquait-il de moi ? Ou avait-il le don d'ubiquité ?


Retrouvant ma voix, j'ai dit :

– Comment ça, c'était toi ?!

– Oh, tu as vraiment cru que ce cœur était destiné à quelqu'un d'autre ? Là, je suis déçu.

– Non, non, Karim, je l'ai pris pour moi et toute la journée, j'étais comme sur un nuage !

– Ah, tant mieux, car c'était le but recherché.

– Mais peux-tu bien m'expliquer comment tu as réussi à tracer ce cœur à distance ?!

– Hé, hé…, a fait Karim qui semblait fier de lui. Au début, j'ai pensé demander à Bohumil de le faire. Il habite à deux minutes de là. Mais après, je me suis dit que ça te mettrait peut-être mal à l'aise si quelqu'un de la classe était au courant.

– Tu as raison. J'aurais été super gênée.

– Bien sûr, Bohu n'aurait rien dit. Tu le connais, on peut compter sur lui. C'est vraiment pas son truc de s'amuser aux dépens des autres, mais bon, je ne voulais pas que tu te sentes embarrassée. Alors, j'ai pensé à un gars de 14 ans, Mehdi, qui était mon voisin quand j'habitais à Montréal et qui passe lui aussi par cette rue pour aller prendre l'autobus, le matin. J'ai surveillé la météo de Montréal sur Internet. J'ai vu que le 13 février, il neigerait toute la journée et que le 14, il ferait beau. Du coup, j'ai contacté Mehdi. Il a accepté de jouer le jeu et m'a promis d'inscrire mon message pour toi dans la neige le 14 février vers 7 h 30. J'avais quand même quelques craintes : que, pour une fois, tu arrives plus tôt à l'école ou que tes parents te conduisent en auto ce jour-là. Ou encore que quelqu'un efface le cœur avant que tu ne l'aies vu. Mais apparemment, tout a bien fonctionné !

– Merci beaucoup, Karim, d'avoir imaginé cette mise en scène ! C'était une belle surprise. Et tu sais…

Là, j'ai avalé ma salive et j'ai murmuré :

– Moi aussi, je t'aime !

Là, Karim a rougi. Puis, d'une voix rauque, il m'a dit :

– Je voudrais tant te revoir un jour, Alice.

– Et moi alors ! Il faudrait que tu reviennes à Montréal pendant les vacances. Ce serait tellement cool. Mais en attendant, il y a deux choses que je voudrais te demander.

– Quoi, Alice ?

– C'était toi qui, l'an dernier, avais gravé le cœur percé d'une flèche avec les lettres K et A dans le tronc de l'érable de l'école ?

– Non, celui-là n'était pas de moi, même si je t'aimais déjà beaucoup à ce moment-là. Mais abîmer un arbre, c'est pas mon genre ! Et puis, c'est au mois de juin que je suis vraiment tombé amoureux de toi. La leçon sur le big bang, tu te souviens ?

– Comment pourrais-je l'oublier ?! Même si on se connaissait déjà depuis des années, ce jour-là, on a eu un coup de foudre à retardement.

Et on a tous les deux pouffé de rire.

Retrouvant son sérieux, Karim m'a dit :

– Moi, j'ai des tas de choses à te raconter, Alice. Mais auparavant, il me semble que tu avais une autre question.

– Exact. Pourquoi ne prenais-tu plus la peine de répondre à mes courriels, ces derniers temps ?

– Oh, tu m'avais écrit ?! Quel dommage, je n'ai rien reçu. C'est la faute à notre ordi qui est tombé en panne. On l'a envoyé chez le technicien mais celui-ci n'a pas réussi à le réparer. Alors, il y a trois semaines environ, on en a acheté un autre. Et le lendemain, j'ai été terrassé par un mal de ventre au cours d'éduc. Ma mère est venue me chercher à l'école et m'a conduit à l'hôpital. Ils ont fait des tests. Finalement, j'avais une appendicite. C'est hyper douloureux ! On m'a opéré et je suis resté une semaine là-bas car j'ai attrapé une vilaine infection. J'ai même passé 48 h aux soins intensifs.

– Oh, pauvre toi ! Et comment vas-tu maintenant ?!

– Beaucoup mieux, même si je me fatigue encore vite. Je suis retourné en classe jeudi dernier… C'est hier que j'aurais voulu t'appeler par Skype, en fait, mais ça n'a pas été possible car on a dû rester à l'école après les cours, pour un spectacle. Quand je suis rentré à la maison, j'étais tellement vidé que je me suis couché tout de suite.

Le mystère du cœur de l'érable est résolu, cher journal. Celui du cœur dans la neige aussi. Sans compter l'énigme du silence de Karim pendant des semaines... Moi qui croyais qu'il ne voulait plus rien savoir de moi ! Dire que, pendant que je me sentais abandonnée, il se trouvait à l'hôpital entre la vie et la mort... Et à peine à la maison, il a pensé à me faire une surprise romantique pour la Saint-Valentin. Si tu savais comme je suis heureuse que Karim m'aime encore ! (Et qu'il soit guéri aussi, bien entendu.) En plus, il vient de m'envoyer une photo de lui prise le week-end dernier chez ses grands-parents, dans les montagnes du Liban. Il m'a dit que pendant que sa sœur le photographiait, il pensait... à moi. Du coup, j'ai envie de me prendre en photo (dehors, moi aussi) alors que je pense à lui. Je la lui enverrai ce soir. Tiens, je sais ! Je vais faire un montage avec nos deux photos sur la couverture de mon cahier rouge, puisque j'arrive à la fin. Hum, est-ce vraiment une bonne idée ? Ma mère ne risque-t-elle pas de tomber dessus en enlevant la poussière ? Pas si je fais moi-même le ménage de ma table de chevet dans laquelle sont rangés mes précieux cahiers.

Quand on y pense bien, c'est fou, non, cher journal, de réaliser que je fais palpiter le cœur d'un garçon à plus de 8 000 km d'ici ?! Et c'est réciproque. Le pouvoir de l'amour… Caroline avait raison. Mue par une soudaine et formidable énergie (l'énergie de l'amour ?), j'ai grimpé l'escalier quatre à quatre, attrapé mon iPod au vol, crié à ma sœur que j'allais promener Cannelle, je me suis habillée, on est sorties, j'ai pris la photo (contente du résultat, ça crève les yeux que je suis amoureuse !), puis ma chienne et moi, on a couru à perdre haleine autour du pâté de maisons.

Je rangeais mon manteau dans le vestiaire quand Caroline est venue me trouver. Elle m'a demandé :
– Tu parlais à Karim, tout à l'heure ?
– Oui.
– Et finalement, le cœur sur le chemin de l'école, il était de lui ?
– Oui.
Le visage de ma sœur s'est éclairé.
– Cool ! Je le savais ! C'est beau, l'amour !
À qui le dit-elle, cher journal !

**Catalogage avant publication
de Bibliothèque et
Archives nationales du Québec
et Bibliothèque et Archives Canada**

Louis, Sylvie

Le journal d'Alice

Sommaire : t. 9. Flocons de neige
et battements de cœur.
Pour les jeunes de 9 ans et plus.

ISBN 978-2-89686-745-5 (v. 9)

I. Battuz, Christine. II. Titre. III. Titre :
Flocons de neige et battements de cœur.

PS8623.O887J68 2010 jC843'.6
C2009-941002-8
PS9623.O887J68 2010

Direction littéraire et artistique :
Agnès Huguet
Révision et correction : Céline Vangheluwe
Conception graphique : Nancy Jacques
Conception graphique de la couverture :
Dominique Simard

Dépôt légal : 4ᵉ trimestre 2014
Bibliothèque et
Archives nationales du Québec
Bibliothèque et Archives Canada

Imprimé au Canada

Dominique et compagnie
1101, avenue Victoria
Saint-Lambert (Québec) J4R 1P8
Téléphone : 514 875-0327
Télécopieur : 450 672-5448
Courriel : dominiqueetcompagnie@
editionsheritage.com
**www.dominiqueetcompagnie.com**

Nous reconnaissons l'aide financière
du gouvernement du Canada par l'entremise
du Fonds du livre du Canada
et du Conseil des Arts du Canada.

Nous reconnaissons l'aide financière du
gouvernement du Québec par l'entremise du
Programme de crédit d'impôt – SODEC –
Programme d'aide à l'édition de livres.

**Remerciements de l'auteure**

Louie Bernstein, astronome au planétarium
de Montréal, est l'auteur de l'article *Des
cœurs sur Mars* que monsieur Gauthier a
épinglé sur le babillard de l'école (article
paru dans le journal *Métro* le 10 février
2012, p. 38).

*La fête*, une chanson écrite par Maurice
Vidalin, est interprétée par Michel Fugain.

*Résiste* est une chanson de France Gall,
sur des paroles et une musique de Michel
Berger.

Le poème *Le verbe cœur* de Roger Des
Roches, lu le jour de la Saint-valentin en
classe, est extrait du recueil *Poésie volume 1*
(La courte échelle, 2011, p. 63).

*Un jour par la forêt*, le roman envoyé par
mamie à Alice, est de Marie Sizun. Il est
paru en 2013 aux éditions Arléa.

*La voleuse de livres*, un film de Brian Percival
(tiré du roman de Markus Zusak), est sorti
en 2013.

*Les allumettes suédoises* (1969), *Trois sucettes
à la menthe* (1972) et *Les noisettes sauvages*
(1974) sont des romans de Robert Sabatier,
parus chez Albin Michel.